PAPA FRANCISCO
CÓMO PIENSA EL NUEVO PONTÍFICE

Armando Rubén Puente (coord.)
Con la colaboración de
Álex Rosal y Carmelo López-Arias

PAPA FRANCISCO
Cómo piensa el nuevo Pontífice

LIBROSLIBRES

LIBROSLIBRES
Edificio Alcovega
Bloque 1. Oficina F-8.
Carretera de Fuencarral, 14
28108 Alcobendas (Madrid)
Teléfono: 91 594 09 22
www.libroslibres.com

© 2013, **LIBROSLIBRES**

© Reuters/ Cordon Press, de la foto de cubierta

Diseño de cubierta: Rudesindo de la Fuente

Primera edición: marzo de 2013

ISBN: 978-84-15570-19-6
Depósito Legal: M-9585-2013

Composición: Francisco J. Arellano
Impresión: Cofás
Impreso en España - Printed in Spain

East Baton Rouge Parish Library
Baton Rouge, Louisiana

ÍNDICE

PRESENTACIÓN

ALGUNAS HISTORIAS PARA CONOCER AL PAPA FRANCISCO

La fundaron dos veces, la fundaron dos españoles. El primero fue un andaluz, Pedro de Mendoza, el segundo un vasco, Juan de Garay. El primero clavó su estandarte, que se balanceó con un viento de muerte y el segundo el suyo, que se balanceó con un viento de vida. Porque el viento de Dios quería que la vida del hombre se fundara con la muerte del Hijo del Hombre y el triunfo de la vida sobre Cristo triunfante de la muerte.

Así nació la ciudad de Santa María de los Buenos Aires, la ciudad donde nació Jorge Mario Bergoglio el 17 de diciembre de 1936. Como todos los porteños él no se dice nacido en Buenos Aires, sino en uno de los cien barrios de la gran urbe. Como cualquier porteño sabe que es su barrio y no la ciudad lo que lo identifica.

EL BARRIO DE FLORES MARCÓ SU JUVENTUD

El suyo es el barrio de Flores, con casas que se asoman a la calle con sus jardines, calles estremecidas de piropos como los que dedicaba a Amalia, el ingenuo amor de la primera juventud y su único amor humano, antes de que se entregara para siempre a Cristo. Barrio de Flores, con su plaza y la cúpula con la claridad de cielo que es la iglesia de San José de Flores, aquella que un 21 de septiembre, sintió su vocación sacerdotal. Barrio de Flores, donde el oeste de la gran urbe parece buscar al atardecer la luz de la pampa. Donde la ciudad aspira al horizonte para acercarse al cielo.

EL MAYOR DE CINCO HERMANOS DE UNOS PADRES QUE EMIGRARON DE ITALIA

Jorge es el mayor de los cinco hijos que tuvieron el empleado ferroviario Mario José Bergoglio y Regina María Sívori, inmigrantes italianos procedentes del Piamonte. El padre llegó a la República Argentina con 21 años de edad y se empleó como contador en una de las compañias de ferrocarriles. Conoció a Regina, de la misma región de Italia y se casaron a los seis años, yendose a vivir en el barrio de Boedo, el barrio del club San Lorenzo de Almagro, fundado por un salesiano. Se hizo *hincha* de ese equipo, pasión que heredó Jorge, el hijo mayor.

LA ABUELA LE ENSEÑÓ A REZAR

Poco después el matrimonio se trasladó al barrio de Flores. Jorge comenzó allá sus estudios de primaria en una escuela pública. «Mi abuela paterna, Rosa, me enseñó a rezar. Me contaba historias de santos; me marcó mucho en la fe. Mis cuatro hermanos iban naciendo y *la nonna* tenía que ayudar a mamá, que quedó paralítica al nacer mi hermana menor, Malena, la única que aun vive».

APRENDIÓ A COCINAR POLLO, TALLARINES Y ÑOQUIS

Jorge tuvo que aprender a cocinar para alimentar a «*la gente menuda*». Y sigue cocinando: era él quien se preparaba su cena siendo cardenal-arzobispo de Buenos Aires.

Recuerda los domingos de su infancia y juventud, la familia reunida en torno a la mesa, comiendo «pollo y tallarines o ñoquis». Y la firme educación recibida en casa: «Papá jamás levantó la mano. Le bastaba con mirarnos, que valían más que diez latigazos. Con mamá *volaban los sopapos*; pobre mujer, éramos cinco chicos revoltosos».

SIN COCHE NI VERANEO

En una plaza cercana a la casa jugaba al fútbol «con pies planos y un tiempo la rodilla maltrecha». «En casa no pasábamos necesidades, pero no teníamos auto ni íbamos a veranear».

EN LA MUERTE DE EVA PERÓN

Tenía 16 años cuando murió Eva Perón y vio como la tristeza invadía el barrio y los pobres, se dirigían al centro para desfilar ante el féretro de Evita, después de aguardar horas y hasta días bajo la lluvia y el frío invernales. Los *descamisados* habían perdido a su protectora, su ayuda.

SEGUIDOR DEL EQUIPO DE FÚTBOL SAN LORENZO

Por entonces Jorge era un típico porteño del barrio de Flores, un muchacho cordial, divertido y alegre, con su *barra* de amigos, a quien gustaba el tango y el fútbol, que no faltaba a ningún partido en la *cancha* del San Lorenzo de Almagro; con los amigos jugaba al fútbol y al baloncesto y le gustaba ver boxeo.

Entre los recuerdos futbolísticos que se le grabaron en la memoria de juventud destaca la brillante campaña que realizó el equipo de sus amores, el San Lorenzo de Almagro, en 1946. «Aquel gol de Pontoni que casi se merecería un premio Nobel. Eran otros tiempos. Lo máximo que se le decía al árbitro era sinvergüenza, vendido... O sea, nada en comparación con los epítetos de ahora».

AFICIONADO AL TANGO DE GARDEL Y DE MAIZANI...

Dice de los tangos que «es algo que me sale de dentro... y creo conocer bastante sus dos etapas». Destaca de la primera a la orquesta de D'Arienzo y como cantantes a Carlos Gardel, Julio Sosa y Azucena Maizani, «a la que di la extremaunción». De la segunda se queda con Astor Piazolla y Amelita Baltar.

... Y A EDITH PIAF Y BEETHOVEN

También le gusta Edith Piaf y la música clásica, «con la que me suelo acompañar en mis horas de reflexión». Beethoven es su compositor preferido y entre sus obras «la que más admiro está la obertura Leonera número tres en la versión de Furtwängler; que es, a mi entender, el mejor director de algunas de sus sinfonías y de las obras de Wagner».

QUERÍA SER QUÍMICO... PERO ACABÓ EN EL SEMINARIO

Estudiaba en una escuela técnica del barrio de Floresta, para ser químico, «porque tenía una salida laboral segura», aunque él prefería las asignaturas de Psicología y Literatura.

A los 17 años le sucedió la gran llamada. El 21 de septiembre, festivo por ser el Día de la Primavera, «iba con mis compañeros a un gran parque a celebrar como es costumbre un picnic y pasar el día cantando y bailando, pasamos por delante de la iglesia de San José de Flores, mi parroquia y sentí la necesidad de entrar en ella. Vi acercarse a un sacerdote que no conocía y que iba a un confesonario. Arrastrado por una fuerza que no sé explicar me acerqué a él y me confesé. Cuando terminamos le pregunté quién y de dónde era. Me dijo que correntino; estaba enfermo de cáncer; murió al año siguiente. Dios *me primereó*, me estaba esperando en aquel confesonario. Cuando me levanté supe que iba a ser sacerdote».

MÉDICO DE ALMAS

Terminada su carrera secundaria en la escuela profesional, empezó a trabajar en un laboratorio. Sus padres deseaban que fuera médico. «Yo les contesté que sí, que sería médico de almas. Mi madre lloró; mi padre se alegró». Sufrió una pulmonía grave por la que tuvo que ser operado perdiendo la parte superior del pulmón derecho». El P. Enrique Pozzoli, su director espiritual le aconsejó que pasara una temporada en la sierra de Tandi. Allí conoció a otro salesiano, el P. Roberto Musante, que ahora es misionero en Angola. Los recuerda como grandes amigos.

ACOGER EL ESPÍRITU IGNACIANO

En 1958 ingresó en el seminario diocesano, que está en otro de los barrios porteños, el de Villa Devoto y que entonces dirigía la Compañía de Jesús. Fue así como conoció el espíritu ignaciano y decidió hacerse jesuita. El segundo de los rasgos que definen al Papa Francisco. «Al año siguiente entré en la Compañía atraído por ser una de fuerza de vanguardia de la Iglesia, una fuerza disciplinada, obediente y misionera».

Estudió humanidades en el seminario de la Compañía de Jesús en Santiago de Chile y en 1963, de regreso a Buenos Aires, se licenció en Filosofía en la facultad del colegio «San José», en San Miguel.

Negociador en lo negociable pero no en lo esencial

En el curso de 1964-64 fue profesor de Filosofía y Psicología en un colegio de la ciudad de Santa Fe y en 1966 de la misma asignatura en el colegio de El Salvador, en Buenos Aires. Sus alumnos lo recuerdan como «muy preparado, de fuerte espiritualidad, con un carácter vivo, que negociaba en lo negociable, pero no cedía en lo esencial».

De 1967 a 1970 estudió Teología en el colegio San José, en San Miguel. El 13 de diciembre de 1969 fue ordenado sacerdote.

En aquellos años se relacionó con Guardia de Hierro, una organización que era de centro en el Movimiento Justicialista. «Él era sacerdote; iba a reuniones nuestras, confesaba a algunos de nosotros, pero no era un cuadro ni un militante».

Su paso por España

En 1970 superó la tercera probación en Alcalá de Henares. San Ignacio de Loyola había mandado que los largos años de estudio en el seminario y en las facultades de Filosofía y Teología podían ahogar el espíritu y por eso instituyó esa tercera parte en la formación de los jesuitas, «el probatorio», centrada en la oración y la caridad. Sus compañeros españoles lo recuerdan como un hombre muy piadoso, humilde y sencillo.

El 22 de abril de 1971 hizo la profesión perpetua en la Compañía de Jesús... Fue maestro de novicios y profesor en la facultad de Teología en San Miguel así como rector del Colegio Massimo en el curso de 1972-73.

Con 36 años es elegido Provincial de los jesuitas en Argentina

El 31 de julio de 1973 fue elegido Provincial de la Compañía de Jesús en Argentina, es decir que con sólo 36 años quedó a cargo de 15 casas, 106 sacerdotes, 32 hermanos y 20 estudiantes. Desempeñó ese cargo durante seis años. Fueron años tormentosos para Argentina, para la Iglesia, para la Compañía y para él como su autoridad máxima en el país.

1973 fue también el año del fin de los gobiernos militares, del restablecimiento de la democracia y del regreso de Perón después de 13 años de exilio en España. Se esperaba que significaría el fin de la guerra revolucionaria que vivía el país desde hacía cuatro años, en la que los Montoneros y el Ejercito Revolucionario del Pueblo de un lado, y los paramilitares de la Triple A de otro, habían causado centenares de muertos, heridos. Años de la Teología de la Liberación y de las comunidades cristianas de base tercermundista. Años de sangre.

SACAR DE LA CÁRCEL A OTROS JESUITAS

Había terminado el Concilio Vaticano II. El padre Bergoglio actuó con energía, encauzando, controlando y corrigiendo a los jesuita que impregnados por la Teología de la Liberación integraban el Movimiento de Sacerdotes del Tercer Mundo. Muchos se habían ido a vivir a las villas miserias, los barrios de chabolas que eran semilleros o refugios de las organizaciones revolucionarias, los Montoneros, las FAR y el ERP. Los paramilitares de la Triple A y el Ejército consideraron que todos los sacerdotes villeros eran unos zurdos revolucionarios. El padre Carlos Múgico, un sacerdote brillante, fundador del citado Movimiento de Sacerdotes del Tercer Mundo y autor de la obra «Peronismo y cristianismo» fue asesinado en 1974, al salir de la iglesia donde había celebrado Misa.

Un nuevo golpe militar depuso al gobierno constitucional dispuesto a poner fin a las actividades de las organizaciones guerrilleras. Dos jesuitas del Tercer Mundo, Orlando Yorio y Francisco Jalics, que habían creado una comunidad al margen de la estructura de la Compañía, se encontraban en el punto de mira de la nueva dictadura, por lo que el padre Bergoglio les ofreció refugiarse en la

Casa Provincial. Ellos no aceptaron y fueron detenidos y torturados en la Escuela Mecánica de la Armada, ESMA.

El P. Bergoglio se entrevistó dos veces con el almirante Massera y otras tantas con el general Videla intercediendo por ellos. Al almirante, del que dependía ESMA, le molestaba ese insistente joven curita de 38 años.

—Mire ya le dije a Tórtolo lo poco que sabía —dijo Massera.

—A monseñor Tórtolo —corrigió el P. Bergoglio.

—Mire Bergoglio...

—Mire Massera, los dos sacerdotes están en la ESMA y yo lo que reclamo es su libertad.

El Padre Provincial encontró más comprensión en Videla y logró que después de seis meses de prisión fueran puestos en libertad y de acuerdo con el Nuncio logró que se les dieran rápidamente pasaportes y abandonaran el país, siendo acompañados hasta la escalerilla del avión por funcionarios de la representación diplomática vaticana.

Sus casos no fueron los únicos: otros 58 sacerdotes pudieron ser rescatados de las cárceles y salir al extranjero. Otros no corrieron una suerte semejante, fueron asesinados, como el obispo Mons. Agnelli.

El padre Bergoglio, como provincial de la Compañía de Jesús en Argentina y siguiendo instrucciones del padre Arrupe intentó «conocer el paradero de los que fueran detenidos, atender a sus familiares y gestionar su libertad». A veces tuvo éxito... otras no pudo hacer nada. Tal fue el caso de Elena de la Cuadra o de la nieta del conocido poeta Juan Gelman, ambas asesinadas. Tampoco por Ester Ballestrino, la jefa del laboratorio en el que él había trabajado antes de entrar en el seminario, que era una de las fundadoras de la Plaza de Mayo.

En 1980 terminó su labor como Provincial y asumió el cargo de rector del Colegio Máximo, de la facultad de Filosofía y Teología, y de la parroquia del Patriarca San José, en la diócesis de San Miguel, cargos que ejerció durante otros seis años. «Los momentos mas lindos de mi vida fueron cuando fui párroco», ha recordado después.

En 1986 viajó a Alemania para concluir su tesis en una pequeña universidad próxima a Francfort.

DE LOS AÑOS DEL DESTIERRO... A OBISPO

De vuelta en Argentina se fue a Córdoba como simple confesor en la iglesia de la Compañía. Unos años oscuros en los que muchos aseguran que estuvo castigado. Ese «destierro» duró hasta mayo de 1992 cuando volvió a Buenos Aires como uno de los cuatro obispos auxiliares del cardenal Antonio Quarracino, que le encomendó la zona de la diócesis donde se encuentra la parroquia de su niñez y juventud, San José de Flores.

CARDENAL-ARZOBISPO DE BUENOS AIRES

A partir de entonces su progresión en las responsabilidades eclesiales fueron en ascenso. El cardenal Quarracino, encontrándose enfermo, solicitó a Roma en 1997 que le nombraran un arzobispo coadjutor, con derecho a sucesión automática. El elegido fue su obispo auxiliar, Jorge Mario Bergoglio.

En el 2001 fue nombrado cardenal y cuando tuvo que viajar a Roma para recibir el birrete, pidió que no lo acompañaran sus fieles, familiares y amigos, sino que donaran ese dinero a los pobres. Gesto que ha repetido ahora, al ser elegido Papa.

VILLAS MISERIA

A partir de entonces recorrió todas las parroquias de la capital, pero especialmente las de las «villas miseria». En el libro «Sobre el cielo y la tierra», escrito en colaboración cónsul amigo Abraham Skorka, *rector del Seminario Rabínico Latinoamericano* denunció la «antinomia salvaje entre incluidos y excluidos, los que están dentro y los que están sobran. En esta civilización hedonista, consumista, narcisista, nos estamos acostumbrando a que hay personas desechables».

Duplicó el número de sacerdotes en esos barrios miserables de la gran ciudad, dotándolos de recursos para construir o dignificar los templos y visitándolos con mucha frecuencia.

CRÍTICA AL PODER POLÍTICO DE TRES PRESIDENTES

Su misión lo llevó a tener una relación tensa con los presidentes de la Republica. En el tedeum de la fiesta nacional de 1999 dijo ante el presidente Carlos Menem: «Si apostamos a una Argentina donde no todos estén sentados a la mesa y donde solamente unos pocos se benefician y el tejido social se destruyen, donde las brechas se agrandan siendo que el sacrificio es de todos, entonces terminaremos siendo una sociedad camino del enfrentamiento».

Lo mismo hizo con su sucesor en el 2001, Fernando de la Rua, tras la gran crisis del corralito dijo que «los obispos estamos cansados de sistemas que producen pobres y la Iglesia debe mantenerlos», condenando «los privilegios, la rapacidad y las ganancias mal habidas» como causa de esa situación.

La situación se agravó con los gobiernos de Nestor Kischner y de su esposa viuda Cristina Fernandez. Kischner lo definió como «cardenal opositor». Desde el año 2004 el Presidente Kischner y su sucesora la presidente Fernández dejaron de ir al solemne Te Deum con motivo de la fiesta nacional argentina que se celebra tradicionalmente en la catedral de Buenos Aires. El primero decretó el «matrimonio igualitario», de hombre y mujer y de homosexuales, la segunda calificó como «medievales e inquisitoriales» los comentarios del cardenal Bergoglio que denunció las medidas del gobierno como «una movida del diablo en su guerra contra Dios», denunció valientemente el cardenal Bergoglio.

PERO, ¿QUIÉN ES EL PAPA FRANCISCO?

Él dice que es «casalingo», una palabra italiana que significa hogareño y que ama Buenos Aires. Duerme cinco horas. «Me acuesto temprano y me despierto sin despertador a las cuatro de la mañana. Eso sí, duermo 40 minutos de siesta». Al levantarse reza durante tres horas antes de recibir las primeras visitas.

Al ser nombrado Arzobispo de Buenos Aires rechazó vivir en la residencia arzobispal de Olivos, próximo al palacio presidencial de Casa Rosada, y en su lugar habilitó un pequeño piso cercano a las oficinas de la curia. Él se cocina su comida y se lava su ropa. Tiene costumbre de no aceptar las invitaciones para almorzar en restaurantes de la ciudad. Prefiere comer solo. Tan solo hace alguna excepción cuando el ofrecimiento parte de una familia humilde. Entonces sí. Se traslada hasta la casa.

Todos los sacerdotes bonaerenses tienen su número privado de teléfono para que «puedan llamarme a cualquier hora».

Habla el italiano, la lengua de sus padres, el francés y el alemán. «El que más me costó fue el inglés, es sobre todo la fonética, porque tengo mal oído. Y, por supuesto, entiendo el piamontés, el sonido de mi infancia».

Le gusta la poesía de Hölderlin y la novela italiana *Los Novios*, de Alessandro Manzoni, considerada como la mejor novela escrita en ese país en el siglo XIX. Disfruta con *La Divina Comedia* y lee a Dostoievsky y Marechal. ¿Borges? «Ni que decir. Era un hombre muy sapiencial, muy hondo. La imagen que me queda de Borges frente a la vida es la de un hombre que acomoda las cosas en su sitio, que ordena los libros en los anaqueles como el bibliotecario que era».

El nuevo Papa conoció personalmente al más grande escritor de las letras argentinas y dice de él que «era un agnóstico que todas las noches rezaba el padrenuestro porque se lo había prometido a su madre y que murió asistido religiosamente».

Si tuviera que elegir una pintura se quedaría con la *Crucifixión Blanca*, de Marc Chagall. ¿Cine? *La Fiesta de Babette* «me llegó muchísimo» y «me divertí con *Esperando la Carroza*». También destaca las películas de Tita Merello y las del neorrealismo italiano, preferidas de sus padres. Pero tampoco podrían faltar las de Ana Magnani y Aldo Fabrizi, así como la de las hermanas Legrand, Mirtha y Silvia, en la película *Claro de Luna*.

Prefiere enterarse de las noticias por el periódico que por la radio o la televisión. No tiene coche... tampoco chofer. Se mueve por la ciudad en metro: «Lo tomo casi siempre por la rapidez, pero me gusta más el autobús porque veo la calle». En cierta ocasión, en una de las visitas a las villas —una de las zonas más deprimidas de la Capital— un albañil le alcanzó y le dijo: «Estoy orgulloso de usted porque cuando venía en el autobús lo vi sentado en uno de los últimos asientos como uno más».

Lo primero que salvaría de un incendio es su breviario y la agenda. «Estoy muy apegado al breviario; es lo primero que abro a la mañana y lo último que cierro antes de acostarme, Cuando viajo tengo que llevar los dos tomos del breviario y los transporto en el bolso de mano. Entre su páginas guardo el testamento de mi abuela, sus cartas y la poesía *Rassa nôstraña*, de Nino Costa».

UN PAPA QUE HABLA CON LOS GESTOS

Los primeros días del Papa Francisco han sido una revolución en el Vaticano. Otros hablan de terremoto, sacudida, shock... Su naturalidad a la hora de comunicar, su desparpajo que rompe protocolos... su calidez humana ha interpelado a más de uno.

Sus primeros gestos trazan las líneas de lo que puede ser su pontificado: Tras ser elegido Papa prefirió lucir el pectoral (cruz) que le acompañaba desde su Argentina natal, rechazando la cruz de oro que suelen llevar los Papas.

También rechazó la tradicional estola papal que han portado los últimos Pontífices cuando han salido por primera vez al balcón de San Pedro, asomándose con una estola muy sencilla del mismo color que la sotana, y sin ponerse la conocida esclavina.

Los sastres de Gammarelli, también conocidos como los sastres del Papa, no van a ver la muceta de terciopelo rojo, rematada con armiñano blanco, en los hombros del Papa Francisco. El nuevo Vicario de Cristo está empeñado en dar un nuevo giro en el vestuario papal, aligerando los accesorios al máximo.

¿Y los zapatos papales? En su primera aparición pública en el Aula Pablo VI, se dejó ver con unos zapatos desgastados. Estaban como escondidos por la sotana pero se le podían ver. Son los mismos zapatos que han recorrido las calles de Buenos Aires, las villas miseria donde la pobreza y la violencia abundan por doquier. Ahora, esos mismos zapatos visten a un Papa, le llevan en su caminar y dan una muestra más de la universalidad y grandeza de la Iglesia.

Asimismo, el Papa Francisco rompió con otra tradición. Inmediatamente después de ser elegido Papa y aceptar la cátedra de Pedro, los cardenales congregados en la Capilla Sixtina fueron pasando uno por uno para felicitar al nuevo Pontífice. Desde hace siglos el elegido se sentaba en el trono papal y desde el sitial abrazaba a los purpurados. Esta vez el Papa Francisco lo recibió de pie ante el altar, compartiendo sin prisas ese momento histórico.

«¿Puedo sentarme aquí?». Es la pregunta de rigor del Papa Francisco en la residencia Santa Marta a la hora de las comidas. Se mezcla entre los cardenales y ríe, bromea y conversa con ellos. Se niega a comer en un reservado. Algo parecido hizo cuando debía ser trasladado, tras ser proclamado sucesor de Benedicto XVI, de las dependencias de la Capilla Sixtina al edificio principal de la plaza de San Pedro para saludar al mundo desde el balcón. Una limusina le esperaba. Eso lo tradicional en estos casos. Los cardenales esperaban a que montara en el coche para seguirle en un autobús acondicionado para ellos. Pero cual fue la sorpresa que el recién elegido Pontífice despachó la limusina y se subió al bus sentándose con una de sus grandes amigos y valedores en el Cónclave: el cardenal Hummes.

Más sorpresas. El Papa Francisco ha renunciado a las obras en el apartamento papal: «Aquí hay espacio para 300 personas», exclamó cuando fue a retirar los sellos que clausuraban la vivienda de Benedicto XVI. ¿Alguna rehabilitación? «Ninguna. Es precioso, está bien así».

Quiere austeridad, eso está claro. Por eso pidió a sus compatriotas argentinos que renunciaran a viajar a Roma para la Misa de inicio de Pontificado, y destinarán ese dinero a los más necesitados.

Tampoco quiere privilegios. Suprimió el reparto de entradas para su primera Eucaristía en la plaza de San Pedro dando la bienvenida a todos.

El protocolo también cambia. Hasta ahora era habitual escuchar un «señores cardenales» cuando el Papa hablaba al colegio cardenalicio. El Papa Francisco lo ha sustituido por un simple «hermanos». También recalca que es «Obispo de Roma», y su primera acción como Pontífice fue coger el coche —un modesto Volkswagen— y salir de los muros vaticanos para acudir a la basílica de Santa María la Mayor.

«SOY EL PAPA FRANCISCO, QUISIERA HABLAR CON EL PADRE GENERAL. NO, DE VERDAD QUE SOY EL PAPA»

Pensó que era una broma. El joven portero de la Casa General de la Compañía de Jesús en Roma nunca esperó recibir una llamada telefónica del Papa Francisco, quien con paciencia y cariño tuvo que convencerle de su identidad para poder hablar con el superior general de los Jesuitas y agradecerle la carta que éste le había enviado la víspera.

Lo relata el Padre jesuita Claudio Barriga, que ha enviado por correo electrónico a las comunidades y amigos de los Jesuitas en todo el mundo: «El portero respondió al teléfono. Le dicen que tiene una llamada desde Santa Marta, y escucha una voz suave y serena: Buon Giorno, sono il Papa Francesco, vorrei parlare con il Padre Generale. (Buenos días, soy el Papa Francisco, quisiera hablar con el Padre General)».

«El portero casi le responde: "Y yo soy Napoleón", pero se contuvo. Le respondió secamente: "¿De parte de quién?" El Papa entendió que el joven portero italiano no le estaba creyendo y le repite dulcemente: «No, de verdad, soy el Papa Francisco, ¿y usted cómo se llama?»

«Desde la elección del Papa el teléfono de nuestra casa suena cada dos minutos y muchos llaman, incluso gente desequilibrada», señala el Padre Barriga. «A esa altura el portero responde con voz titubeante, dándose cuenta de su error y casi desvaneciéndose: "Me llamo Andrés". El Papa le contesta: "¿cómo estás, Andrés?" Respuesta: "Yo bien, disculpe, sólo un poco confundido". El Papa le dice: "No te preocupes, por favor comunícame con el Padre General, quisiera agradecerle por la hermosa carta que me ha escrito". El portero: "Disculpe, Su Santidad, lo voy a comunicar. El Papa: No, no hay problema; yo espero lo que sea necesario"».

El joven portero, Andrés, entregó el teléfono al hermano Afonso, secretario privado del Padre Adolfo Nicolás y ocurrió la siguiente conversación:

—Afonso: «¿Aló?»

—Papa Francisco: «¿Con quién hablo?»

—Afonso: «Soy Afonso, secretario personal del Padre General».

—Papa Francisco: «Soy el Papa, quisiera saludar al Padre General, para agradecerle la bonita carta que me envió».

—Afonso: «Sí, un momento».

Tras este diálogo en italiano, Afonso se dirige «incrédulo hacia la oficina del Padre General, al lado de la suya, mientras sigue la conversación. Le dice: "¡Santo Padre, felicidades por su elección, aquí estamos todos contentos por su nombramiento, estamos rezando mucho por usted!"»

«¿Rezando para que yo vaya para adelante o para atrás?», bromea el Papa. «Naturalmente para adelante», le responde Afonso mientas caminaba. El Papa responde con una risa espontánea.

«Aturdido por la impresión, el hermano ni siquiera llamó a la puerta de la oficina del Padre General y se dirigió hasta donde estaba él, quien lo miró sorprendido. Afonso extendió la mano con el teléfono y le dijo al Padre General, mirándole a los ojos: "El Papa"».

«Lo que siguió después no lo sabemos en detalle, pero el Papa agradeció muy cordialmente al Padre General por su carta. El

General le dijo que le gustaría verlo para saludarlo. El Papa le respondió que va a dar instrucciones a su secretario para que eso pueda ser lo más pronto posible, y que del Vaticano le irían a avisar», concluyó el Padre Barriga.

Así es el Papa Francisco. Lean con detenimiento las siguientes páginas y descubrirán el corazón del nuevo Pontífice, sus inquietudes y preocupaciones más profundas y su permanente diálogo con Dios.

ARMANDO RUBÉN PUENTE

¡PADRE MISERICORDIOSO, HAS SALIDO A BUSCARME!

TODOS LLAMADOS, TODOS EN CASA

Uno se da cuenta cuando no tiene lugar, cuando no es aceptado ni bienvenido... Por ejemplo, esto lo siente la persona que busca trabajo y a la que le dicen —después de tomarle todos los datos—: «Ya lo vamos a llamar».

Con Dios nuestro Padre la experiencia es totalmente distinta: aquí todos nos sentimos llamados, siempre, una y otra vez hemos sido y somos invitados. El Padre es como ese Patrón de la parábola que sale de madrugada, a media mañana y a la tarde, a buscar obreros para trabajar en su viña. El Padre es el que, cuando nos hemos perdido, desorientados como la ovejita, envía a Jesús a buscarnos para ponernos de nuevo en nuestro lugar, para sentirnos ubicados en la vida, para curarnos de las heridas y ponernos de nuevo en nuestro sitio.

Nuestro sitio es la casa del Padre. De un Padre que no sólo nos espera sino que nos sale a buscar con Jesús. Un Padre que sabe de nuestras heridas, sabe lo que es tener un hijo perdido y solo en ese desierto en el que se ha convertido nuestra ciudad para muchos; un desierto donde a veces cuesta encontrar rostros amigos y manos solidarias.[1]

DIOS NOS PRECEDE EN EL AMOR

Si bien en nuestra vida, de una u otra manera, buscamos a Dios, la verdad más honda es que somos buscados por Él, somos esperados por Él. Como la flor del almendro que mencionan los Profetas porque es la primera en florecer, así el Señor: Él espera primero, Él nos «primerea» en el amor.

Hace siglos que nuestro Dios se nos adelanta en el amor. Hace 2000 años que Jesús «nos precede» y nos espera en Galilea, esa Galilea del primer encuentro, esa Galilea que cada uno de nosotros tiene en alguna parte del corazón. El sentirnos precedidos y esperados acelera el ritmo de nuestro caminar para hacer más pronto el encuentro. El mismo Dios, que «nos amó primero», también es el Buen Samaritano que se hace prójimo y nos dice —como al final de esa parábola—: «Anda y procede tú de la misma manera». Así de sencillo, hacer lo que Él hizo: «primereá» a tus hermanos en el amor, no esperes ser amado sino que amá primero. Da el primer paso, pasos que nos harán salir de la somnolencia (ese no haber podido velar con Él) o de cualquier quietismo sofisticado. Paso de reconciliación, paso de amor. Da el primer paso en tu familia, da el primer paso en esta ciudad; hacete prójimo de los que viven al margen de lo necesario para subsistir: cada día son más. Imitemos a nuestro Dios que nos precede y ama primero, haciendo gestos de projimidad hacia nuestros hermanos que sufren soledad, indigencia, pérdida de trabajo, explotación, falta de techo, desprecio por ser migrantes, enfermedad, aislamiento en los geriátricos. Da el primer paso y llevá, con tu propia vida, el anuncio: Él ha resucitado. Entonces pondrás, en medio de tanta muerte, una chispa de resurrección, la que Él quiere que tú lleves. Entonces tu profesión de fe será creíble.[2]

LA DESPROPORCIÓN DE DIOS

El mensaje del Evangelio es claro, diáfano, cálido y contundente: donde está Jesús desaparecen las proporciones humanas. Y, paradójicamente, la desproporción de Dios es más humana (más realista, más simple, más verdadera, más realizable) que nuestros cálculos. La desproporción de Dios es realista y realizable porque mira la calidez del pan que invita a ser repartido y no la frialdad del dinero que busca la soledad de los depósitos.

El milagro de los panes no tiene nada de solución mágica. En medio de él está el mismo Jesús con las manos en la masa. Un Jesús que se reparte y se entrega a sí mismo en cada pan; un Jesús que ensancha su mesa, la que compartía con sus amigos, y le hace sitio a todo el pueblo; un Jesús que es todopoderoso con el pan y los peces. ¡Qué lindo es mirar los signos humildes, las cosas pequeñas con que trabaja Jesús: el agua, el vino, el pan y los pescaditos! Con estas cosas humildes es omnipotente el Señor. Sus manos se hallan a gusto bendiciendo y partiendo el pan. Me animaría a decir que el Señor se desborda sólo en aquellos gestos que puede hacer con sus manos: bendecir, sanar, acariciar, repartir, dar la mano y levantar, lavar los pies, mostrar las llagas, dejarse llagar... El Señor no tiene excesos verbales ni gestos ampulosos. Jesús quiere ser todopoderoso partiendo el pan con sus manos.[3]

TODO DON VIENE DE DIOS

Con la mano con la que tomamos gracia queremos reconocer que todo Don y toda justicia viene primero de las manos de Dios antes que de ningún hombre, antes que de la mano dura o blanda de ningún gobierno, antes que de la «mano invisible» de ningún sistema económico.

Y al dar nuestras dos moneditas con la otra mano, queremos dar testimonio de que somos libres y soberanos porque somos dueños de dar, de que desde nuestra pobreza y fragilidad, primero damos y después pedimos.

¡Danos la mano, Niño Jesús!, como nos la dan nuestros hijos, que confían en nosotros. Queremos recuperar el coraje de mirar para adelante y darlo todo por ellos. Ellos son la esperanza de nuestro pueblo y no los queremos defraudar.

¡Danos la mano, San Cayetano!, esa mano cargada con la espiga, y que la esperanza del pan y del trabajo de cada día levante nuestros brazos caídos. Queremos ser un pueblo que trabaja como trabajaron nuestros mayores y que esta memoria borre toda falsa ilusión de ganar el pan sin el sudor de nuestra frente.

¡Danos la mano, Padre del Cielo!, que al tomar gracia del Santo, sintamos tu Providencia de Padre, vos sabés bien lo que necesitamos, en vos confía nuestra familia, la familia argentina. Queremos ser un pueblo que se sabe cuidado en su fragilidad. ¡Que nadie diga que nos abandonas, Señor. Por el honor de tu nombre!

¡Danos la mano, Virgencita, Madre nuestra!. En tus manos está nuestra esperanza. Vos sos la que nos dice: «hagan todo lo que Jesús les diga». Que en tu lenguaje materno, esta recomendación tierna y exigente nos fortalezca nuestras manos, que se nos vuelvan ágiles e industriosas para trabajar y que se nos llenen de la alegría laboriosa de la caridad. Vos sos la mujer fuerte de nuestra Patria que pone cada día esas dos moneditas que faltan en la alcancía de cada familia, para que a nadie le falte el pan.[4]

DIOS, EL SENTIDO DE LA VIDA

Caminamos «de fe en fe», en búsqueda de la plenitud y del sentido para nuestra vida. Y este camino es verdadero cuando no queda entrampado en los ruidos alienantes de propuestas pasajeras o mentirosas. Somos parte del pueblo de Dios que, día a día, quiere dar un paso desde la tiniebla hacia la luz. Todos tenemos ganas de encontrarnos con esa luz, con esa Gloria escondida, y tenemos ganas pues el mismo Dios que nos creó sembró ese deseo en nuestro corazón. Pero nuestro corazón a veces se pone duro, caprichoso o, peor aún, se hincha en crecida soberbia. Entonces ese deseo de ver la Gloria de la luz queda ahogado y la vida corre el riesgo de pasar sin sentido, de ir agotándose en tinieblas. Se repite así el hecho de que Dios no encuentra lugar, como sucedió aquella noche en que María «lo acostó en un pesebre, porque no había (otro) lugar para ellos».

Este es el drama del alma que se torna impaciente en la espera y se entretiene con las falsas promesas de luz que le hace el Demonio a quien Jesús llama «el padre de la mentira», «el príncipe de las tinieblas». Entonces se va perdiendo la esperanza en la promesa, la firmeza en la alianza con un Dios que no miente porque «no puede negarse a sí mismo». Se pierde el hondo sentirse elegido por la ternura del Padre. Se cierran las puertas y hoy, como siempre, en el mundo, en nuestra ciudad, en nuestros corazones se le cierran muchas puertas a Jesús. Es más fácil entretenerse con las luces de un arbolito que abismarse en la contemplación de la Gloria del pesebre. Y este anti-camino, es decir, este sendero de cerrar puertas abarca desde la indiferencia hasta el asesinato de inocentes. No hay mucha distancia entre los que cerraron las puertas a José y María porque eran forasteros pobres y Herodes que «mata a los niños porque el temor le mató el corazón». No hay término medio: o luz o tinieblas, o soberbia o humildad, o verdad o mentira, o abrimos la puerta a Jesús que viene a salvarnos o nos cerramos en la suficiencia y el orgullo de la autosalvación.

En esta noche santa les pido que miren el pesebre: allí «el pueblo que caminaba en tinieblas vio una gran luz»... pero la vio el pueblo, aquél que era sencillo y estaba abierto al Regalo de Dios. No la vieron los autosuficientes, los soberbios, los que se fabrican su propia ley según su medida, los que cierran las puertas.[5]

RECUERDA LAS GRACIAS DE DIOS

Recuerden la promesa pero, sobre todo, recuerden la propia historia. Recuerden las maravillas que el Señor nos ha hecho a lo largo de la vida. «Presta atención y ten cuidado para no olvidar las cosas que has visto con tus propios ojos, ni dejar que se aparten de tu corazón un solo instante» (Deut. 4:9); cuando estés satisfecho «no olvides al Señor que te hizo salir de Egipto, de un lugar de esclavitud» (Deut. 6;12); «acuérdate del largo camino que el Señor, tu Dios, te hizo recorrer por el desierto durante estos cuarenta años... la ropa que llevabas puesta no se gastó, ni tampoco se hincharon tus pies...» (Deut. 8:2,4). «no olvides al Señor que te hizo salir de Egipto, de un lugar de esclavitud» (Deut. 6:12); «recuerden los primeros tiempos» (Hebr. 10:32); «acuérdate de Jesucristo, que resucitó de entre los muertos» (2 Tim. 2: 8). Así nos exhorta la Palabra de Dios para que continuamente releamos nuestra historia de salvación a fin de poder seguir hacia adelante. La memoria del camino andado por la gracia de Dios es fortaleza y fundamento de esperanza para continuar caminando. No dejemos que la memoria de nuestra salvación se atrofie por el desconcierto y el temor que nos pueda sobrevenir ante cualquier sepulcro que pretenda adueñarse de nuestra esperanza. Dejemos siempre lugar a la Palabra del Señor, como las mujeres en el sepulcro: «Recuerden». En los momentos de mayor oscuridad y parálisis urge recuperar esta dimensión deuteronómica de la existencia.[6]

NO CONOZCAS A DIOS DE OÍDAS

Lo fundamental que hay que decirle a todo hombre es que entre dentro de sí. La dispersión es un quiebro en el interior, nunca le va a llevar a encontrarse consigo mismo, impide ese momento de mirar al espejo de su corazón. Ahí está la semilla: en contenerse a uno mismo. Ahí empieza el diálogo.

Uno a veces cree tener la precisa, pero no es así. Al hombre de hoy le diría que haga la experiencia de entrar en la intimidad para conocer la experiencia, el rostro de Dios. Por eso me gusta tanto lo que dice Job después de su dura experiencia y de diálogos que no le solucionaron nada: «Antes te conocía de oído, ahora te han visto mis ojos». Al hombre le digo que no conozca a Dios de oídas. El Dios vivo es el que va a ver con sus ojos, dentro de su corazón.[7]

A TI TE HABLA

Quisiera detenerme hoy a contemplar con ustedes esa relación tan especial de Jesús con la multitud. La gente lo sigue y lo escucha porque siente que habla de manera distinta, con la autoridad que da el ser auténtico y coherente, el no tener dobles mensajes ni dobles intenciones. Hay alegría y regocijo cuando escuchan al Maestro. La gente bendice a Dios cuando Jesús habla porque su discurso los incluye a todos, los personaliza y los hace pueblo de Dios. ¿Se han fijado que sólo los escribas y los fariseos, a quienes Jesús tilda de hipócritas, preguntan siempre «¿a quién le dices esto?» «¿Lo dices por nosotros?» «Mira que al decir esto también nos ofendes a nosotros!». La gente no hace esa pregunta; es más, quiere, desea, que la Palabra sea para ellos. Sabe que es una palabra que hace bien, que al que dice «esto es para mí», esa palabra lo sana, lo mejora, lo limpia... Es curioso, mientras algunos desprecian que el Señor hable en parábolas, la gente se bebe sus parábolas y las transmite de boca en boca; recibe todo: el contenido y el estilo de Jesús. Estaba sedienta de esa Palabra nueva, sedienta de Evangelio, sedienta de la Palabra de Dios.[8]

LA SEÑAL DE DIOS ES SU TERNURA

Cuando vemos a Jesús en medio de las fatigas y trabajos, en medio de los conflictos con las elites ilustradas de esa época (los fariseos, los saduceos) vemos cómo muchas veces ellos le pedían una señal: dános una señal. Jesús predicaba y la gente lo seguía como a ninguno, curaba resucitaba... pero ellos pedían una señal. Ésta que veían no les bastaba. Se puede pensar que no les bastaba porque ese elitismo ilustrado clausuraba sus conciencias; ésa es una explicación válida. Pero también había algo más: ni aun al hombre más cerrado a la voz de Dios se le priva del instinto de saber donde está Él y hacia dónde debe buscar. Ellos intuían que resucitar muertos, curar enfermos no era «la señal», por ello una vez Jesús les dijo: a ustedes se le va a dar la señal de Jonás (o sea la resurrección), pedían la señal trascendente e inconfundible en la que Dios se manifiesta en su plenitud; y en eso no se equivocaban incluso los que estaban más lejos, ni aun Herodes. Los asustaba y acuciaba ese instinto religioso del corazón que empuja a buscar y distinguir dónde está Dios. [...]

Esta es la señal: el abajamiento total de Dios. La señal es que, esta noche, Dios se enamoró de nuestra pequeñez y se hizo ternura; ternura para toda fragilidad, para todo sufrimiento, para toda angustia, para toda búsqueda, para todo límite; la señal es la ternura de Dios y el mensaje que buscaban todos aquellos que le pedían señales a Jesús, el mensaje que buscaban todos aquellos desorientados, aquéllos que incluso eran enemigos a Jesús y lo buscaban desde el fondo del alma era éste: buscaban la ternura de Dios, Dios hecho ternura, Dios acariciando nuestra miseria, Dios enamorado de nuestra pequeñez.

Hoy se nos proclama esto: la ternura de Dios. El mundo sigue andando, los hombres seguimos buscando a Dios pero la señal sigue siendo ésta. Contemplando al niño nacido en un pesebre, contemplando a ese Dios hecho niño enamorado de nuestra pequeñez, esta noche cabe la pregunta: ¿qué tal la ternura de Dios con vos? ¿te dejas acariciar por esa ternura de un Dios que te quiere, por un Dios hecho ternura? o ¿sos arisco y no te dejas buscar por ese Dios? —No, yo busco a Dios, podés decir. No es lo más importante que busques a Dios, lo más importante es que te dejes buscar por Él en la caricia en la ternura. Ésta es la primera pregunta que este Niño con su sola presencia hoy nos hace: ¿Nos dejamos querer por esa ternura? Y más allá todavía: ¿vos te animás también a hacerte ternura para toda situación difícil, para todo problema humano, para quien tenés cerca, o preferís la solución burocrática, ejecutiva, fría, eficientista, no evangelizadora? Si es así ¿le tenés miedo a la ternura que Dios ejerció con vos? y ésta sería la segunda pregunta de hoy. ¿Me hago cargo en mis comportamientos de esa ternura que nos tiene que acompañar a lo largo de la vida, en los momentos de alegría, de tristeza, de cruz, de trabajo, de conflicto, de lucha?

La respuesta del cristiano no puede ser otra que la misma respuesta de Dios a nuestra pequeñez: ternura, mansedumbre. [...]

Y esto aun en los momentos de conflicto, aun los momentos que te abofetean; cuando te abofeteen en una mejilla poné la otra, mantené la ternura. Eso es lo que la noche de Navidad nos trae. Cuando vemos que un Dios se enamora de nuestra pequeñez, que se hace ternura para acariciarnos mejor, a un Dios que es toda mansedumbre, toda cercanía, toda projimidad, no nos queda otra cosa que abrir nuestro corazón y decirle: Señor si tú lo hiciste así ayúdanos, danos la gracia de la ternura en las penosas situaciones de la vida, dame la gracia de la projimidad ante toda necesidad humana, dame la gracia de la mansedumbre ante todo conflicto. Pidámoslo, ésta es una noche para pedir...y me atrevo a darles una tarea para el hogar: esta noche o mañana, que no termine el día de Navidad sin que se tomen un ratito de silencio y se pregunten ¿Qué tal la ternura de Dios para conmigo? ¿qué tal mi ternura para con los demás? ¿qué tal mi ternura en las situaciones límites? ¿qué tal mi mansedumbre en los trabajos y conflictos? y que Jesús les responda, lo hará.

Que la Virgen les conceda esta gracia.[9]

ACOGER AL DIOS VIVO

«¿Por qué buscan entre los muertos al que está vivo?» En medio de todas las circunstancias y los sentimientos de esa mañana la frase marca un hito en la historia, se proyecta hacia la Iglesia de todos los tiempos y señala una división entre las personas: los que optan por el sepulcro, los que siguen buscando allí, y los que —como Pedro— abren el corazón a la vida en medio de la Vida. Y cuántas veces, en nuestro andar cotidiano, necesitamos que se nos sacuda y se nos diga «¿Por qué buscan entre los muertos al que está vivo?» ¡Cuántas veces necesitamos que esta frase nos rescate del ámbito de la desesperanza y de la muerte!

Necesitamos que se nos grite esto cada vez que, recluidos en cualquier forma de egoísmo, pretendemos saciarnos con el agua estancada de la autosatisfacción. Necesitamos que se nos grite esto cuando, seducidos por el poder terrenal que se nos ofrece claudicando de los valores humanos y cristianos, nos embriagamos con el vino de la idolatría de nosotros mismos que sólo puede prometernos un futuro sepulcral. Necesitamos que se nos grite esto en los momentos en que ponemos nuestra esperanza en las vanidades mundanas, en el dinero, en la fama y nos vestimos con el fatuo resplandor del orgullo. Necesitamos que se nos grite esto hoy, en medio de nuestro pueblo y de nuestra cultura para que nos abramos al Único que da vida, al Único que puede provocar en nosotros el estupor esperanzado del encuentro, al Único que no distorsiona realidades, que no vende mentiras sino que regala verdades. ¿Cuántas veces tenemos necesidad de que la ternura maternal de María nos susurre, como preparando el camino, esta frase victoriosa y de profunda estrategia cristiana: Hijo, ¡no busques entre los muertos al que está vivo![10]

LA MISERICORDIA DE DIOS: EL CREADOR, CRIATURA

A la misericordia más que entenderla se la encuentra desde nuestra propia nada, nuestras miserias, nuestros pecados. Pablo es elocuente al respecto: «Doy gracias a nuestro Señor Jesucristo, porque me ha fortalecido y me ha considerado digno de confianza, llamándome a su servicio a pesar de mis blasfemias, persecuciones e insolencias anteriores. Pero fui tratado con misericordia...» (Tim. 1, 12-13). Desde su hedionda bajeza siente que es tratado con misericordia, se siente acariciado por la fidelidad de Dios que lo busca, lo espera y hace fiesta en su encuentro.

La misericordia de Dios no puede concebirse como un atributo más de su comportamiento para con nosotros sino que constituye el ámbito mismo de su encuentro con cada uno, con todos nosotros, con su pueblo. Es el modo más genuino en que se expresa su fidelidad y la mayor manifestación de su poder, como nos lo recuerda la Iglesia: «Dios, que manifiestas tu poder sobre todo en la misericordia y el perdón», un poder aun más grande que el de la creación porque esa misericordia lo llevará a hacerse creatura a sí mismo, al abajamiento y anonadamiento máximo (cfr. Filip. 2, 6-11), para dar lugar al encuentro de amor con su pueblo, con cada uno de sus hijos.[11]

EN EL MISTERIO DE DIOS

Cuando venga el Espíritu de la Verdad, Él los va a introducir en toda la Verdad (dice Jesús). Ése es el primer trabajo entre los tantos trabajos que el Espíritu hace en nosotros: nos mete de dentro al Misterio de Dios. Nos introduce en el Misterio de Dios. Ninguno de nosotros ni siquiera puede decir el nombre de Jesús con fe si no nos mueve el Espíritu Santo. Él es el que nos mete en el Misterio de Dios, del Amor de Dios. Él es que nos hace sentir desde adentro que estamos salvados. Pase lo que nos pase, estamos salvados. Y eso es una gracia del Espíritu. En esperanza, estamos salvados.[12]

LA PACIENCIA DE JESÚS FRENTE A LA IMPACIENCIA DEL MUNDO

Jesús entra en Jerusalén. Pero podemos decir que entra en paciencia. Entra a padecer. No va a abrir la boca. Dicen «como cordero llevado al matadero». Calla. Mansedumbre total mientras el demonio manda a todos los suyos para cometer las atrocidades mas grandes: la mentira, la calumnia, la injusticia de un juicio en el que se lavan las manos... y bueno, que el delincuente quede suelto y al justo lo condenamos. Era cuestión de no perder el puesto: es sacrificado a las ambiciones de un gobernador. Las burlas... le escupen en la cara... una noche torturado en un calabozo... los latigazos... la corona de espinas y después... llevar el palo de la cruz. Y Jesús seguía en paciencia. Es nuestro Dios, el Señor de la Paciencia. Nuestro Dios que vino para hacerse paciente por mis pecados, para salvarme a mí. Cada uno de nosotros, con toda verdad, hoy puede decir que no le es indiferente a

Jesús. Jesús se involucró en la vida de cada uno de nosotros! No con la vida de todos nosotros al voleo! Sino de cada uno con nombre y apellido! Jesús sabe lo que me pasa a mí! Jesús sabe lo que pasa en tu corazón! Y en el de cada uno de ustedes... Jesús pagó por mí! Y por cada uno de ustedes...

Jesús entro en paciencia. Y nosotros cómo nos impacientamos... con que soberbia a veces pretendemos que se nos trate como justos cuando al justo se lo trató como pecador. Les propongo que en esta Semana miremos al Señor, a ese Señor de la paciencia, a ese Señor que me tuvo paciencia! Que me tiene paciencia! Y que todos los años me hace celebrar la Semana Santa y la Pascua; me espera cada año y me sigue esperando. Miremos a Jesús que más que a Jerusalén entra en paciencia a padecer.[13]

¿ESTÁ JESÚS VIVO EN TU VIDA?

Es tan fácil caer en esta trampa, es tan fácil ser cristiano sin esperanza: soy cristiano, voy a misa los domingos pero... ¿crees que Jesús está vivo en medio tuyo? ¿En medio de tu familia? ¿En tu vida? ¿Caminás junto al Señor vivo? Ah... bueno... sí, claro... sepultamos todo y seguimos caminando como si el Señor estuviera sepultado y con la piedra del sepulcro bien fija. Y la voz del Ángel, que también nos sopapea a nosotros: «¿Por qué buscan entre los muertos al que está vivo?». ¡Por este camino no vas a llegar a ningún lado! Si no recordás la profecía, si no tenés memoria de lo que el mismo Jesús te dijo, no vas a tener esperanza y vas a ser prisionero o prisionera de la coyuntura, del susto del momento, de la conveniencia del momento, del temor, de la incredulidad del momento. San Pedro le decía a los primeros cristianos que estuvieran preparados para dar razón de su esperanza, que tuvieran ese coraje de decir: «¡Yo camino así porque espero! Espero que este Señor que está vivo caminando conmigo llegue a la plenitud de mi vida y de todo el mundo cuando venga por segunda vez. ¡Yo camino así, me comporto así porque sé que el Señor vendrá! Y quiero que me encuentre velando, vigilando en la esperanza. Esta esperanza que se fundamenta en la memoria de la promesa de Jesús: «Yo voy a resucitar y yo estaré con ustedes todos los días hasta el fin del mundo». ¿Creo eso?[14]

LA GENTE QUIERE ESTAR CON JESÚS

A todos nos conmueve cuando alguien quiere estar con nosotros simplemente porque nos quiere. A Jesús también le conmueve que la gente se quiera quedar con Él. El pueblo sencillo intuye que esto es lo más profundo del corazón de Dios: Jesús es el Dios con nosotros, el Dios que vino para quedarse en nuestra historia: «todos los días estoy con ustedes, hasta el fin del mundo». Jesús se alegra de que la gente tenga ganas de estar con Él porque siente que es el Padre el que alimenta este deseo en el corazón de los hombres: «Nadie viene a mí si mi Padre no lo atrae. Y yo no rechazo a ninguno de los que Él me da».

Es verdad que la gente le pedía que sanara a los enfermos y que a todos les gustaba que les contara parábolas y les hablara del Reino, pero más que nada a la gente le gustaba estar cerca de Jesús, quedarse ratos largos con Él. La gente intuía con su Fe que Él ya entonces era el Pan Vivo, el Pan del Cielo que el Padre nos da; y estar cerca de ese Pan da Vida, Vida Plena. Como dice el Buen Pastor: «Mis ovejas escuchan mi voz; yo las conozco y ellas me siguen. Y Yo les doy Vida eterna» (Jn. 10, 27-28).

Esto acontece también hoy. La gente sigue a Jesús. Aunque no siempre venga a las ceremonias a las que invita la Iglesia, porque la cultura pagana que nos invade tiende a desvalorizar nuestras tradiciones y busca reemplazarlas, pero el pueblo fiel de Dios continúa escuchando la voz de su Buen Pastor y lo sigue. Me gusta pensar que las peticiones del pan, del trabajo, de la salud... y las promesas con que nuestro pueblo acude al Señor además de constituir necesidades verdaderas, son como excusas lindas que tiene nuestra gente para estar cerca de Jesús. El pueblo fiel de Dios sigue deseando con hambre verdadera a Aquel que es su Pan de vida. Lo vemos porque cuando alguien habla con el pan de la verdad, como Jesús, dando testimonio con su vida, nuestro pueblo le cree.

Cuando alguien obra al estilo de Jesús, con el pan de la mansedumbre y la santidad, nuestro pueblo se le arrima con devoción, como vemos que pasa con nuestros santos: Ceferino, el cura Brochero, don Zatti, la Mamá Antula...

Cuando alguien pone en práctica los gestos de Jesús y comparte el pan de la misericordia y el pan de la solidaridad, nuestro pueblo lo reconoce y le ofrece su colaboración, como vemos que sucede en torno a la gente buena que ayuda a los demás.[15]

A LAS PUERTAS DE TU CORAZÓN

La fiesta de Navidad es un sonoro recuerdo de la historia, un sonoro recuerdo de la revelación de Dios que nos viene a decir que Él está, como lo dice tan bellamente el libro del Apocalipsis: «Él está a la puerta y llama». Él está a la puerta de tu corazón y te está llamando. Dios está viniendo. La Navidad nos recuerda que vino una vez que va a venir otra vez y nos invita a que lo recibamos todos los días. Nos invita a que todos los días nos encontremos con Él. Navidad es la fiesta del encuentro, del encuentro de la primera vez, de la esperanza del encuentro de la última vez y del encuentro cotidiano. Del encuentro con Jesús. Navidad es encontrar a Jesús. En esta noche santa se nos invita a que nos preguntemos como puedo encontrar a Jesús, si estoy dispuesto a encontrar a Jesús o me dejo llevar por la vida como si ya estuviera todo jugado. No, Jesús está golpeando tu corazón, Jesús te dice lo mismo que le dice el ángel a los pastores: te ha nacido un Redentor. Simplemente te pide que lo escuches, o más, te pide que lo busques. Hoy se nos invita a buscar.

Y donde lo voy a buscar. La señal que les da a los pastores es la de siempre. Como a ellos vuelve a repetirte: búscalo en un pesebre, en un corralón, la señal es la misma buscá donde nadie busca. No busqués entre las luces de las grandes ciudades, no busqués en la apariencia. No busqués en todo ese armazón pagano que se nos ofrece a cada rato. Buscá en lo insólito en lo que te sorprende. Buscá como esos pastores a quienes mandaron a buscar a un chico recién nacido recostado en un pesebre. Buscá allí. Remové la hojalastra y debajo buscá los brotes de vida. En la sencillez, en la pequeñez. Ustedes saben que en la gruta de Belén actualmente para entrar al lugar donde nació Jesús hay que agacharse, hay que abajarse, para encontrar a Jesús hay que hacerse pequeño. Despojate de toda pretensión. Despojate de toda ilusión efímera andá a lo esencial, a lo que te promete vida, a lo que te da dignidad. Abajate no le tengas miedo a la humildad, no le tengas miedo a la mansedumbre. Hoy se nos dice que cuanto más alta tenés la nariz sos más importante. No. Hoy se nos dice que cuanto más vanidoso aparezcas vas a tener más fuerza. No, no va por ahí la cosa. Hoy se nos dice que cuanto más grités y cuanto más te peliés, cuanto más discordia siembres te va a ir mejor. No, no es así. Abajate, usa la mansedumbre. Escuchá conviví. Reconocé la dignidad tuya y de los demás. Amá y déjate amar.[16]

¿EN LA PAVADA O VOLAR ALTO?

Hace un tiempo leí una parábola que escribió un monje y que me ilumina mucho sobre que es esto de arrugar el corazón y como a veces el mundo tiende a reprimirnos sobre nosotros mismos. La parábola dice así: Unos chicos subiendo una montaña encontraron un nido de águila con un huevo y lo bajaron. Después se preguntaron que hacer con el huevo y uno de los chicos propuso que lo llevaran a su casa ya que tenía una pava que estaba empollando. Y pusieron el huevo con los que la pava estaba empollando. Nacieron los pichones... todos iguales... fueron creciendo... pero el pichoncito de águila se comportaba distinto a los demás y cuando los pichones de la pava caminaban mirando el suelo, él miraba al cielo y sentía algo... y su vida que era para volar alto, como no tuvo quien le enseñara a volar, pasó en la pavada, entre los pavos...

Junto a este llamado de «Dejate reconciliar con Dios» y «Volvé a Dios con todo tu corazón» también podemos hacernos esta pregunta (que los porteños entendemos bien): ¿Estoy en la pavada o tengo ansias de volar alto? ¿Estoy atado a un rebaño que va ciego haciendo lo que todo el mundo hace, buscando solamente la propia satisfacción, concentrado en mí mismo o miro mas arriba para volar alto? Te aseguro que si en esta Cuaresma mirás más arriba, orando más, despojándote más de cosas que te entretienen mal, es decir ese ayuno de cosas que te permiten aprovechar ese tiempo para hacer una obra buena como visitar un enfermo, acompañar a los chicos, escuchar a tu papá o a tu abuelo que siempre repite lo mismo... Despójate del egoísmo y mirá a tu alrededor para ver de que te podés despojar para ayudar al que necesita la limosna. Si hacés esto en esta Cuaresma tu corazón va a mirar más arriba y te vas a encontrar con una gran sorpresa al final.

Que tu corazón arrugado, que ya prácticamente era una tumba, va a sentir como esa tumba fue testigo de alguien que resucitó para salvarte; te vas a encontrar con Jesús vivo. Así que iniciemos la Cuaresma con este sano optimismo, con esta gran esperanza: Dejate reconciliar con Dios, volvé al Señor con todo tu corazón, dejate desarrugar el corazón y mirá hacia arriba. El resto lo hace El. Tené confianza.[17]

DÉJATE ACARICIAR POR DIOS

Junto al pesebre, hacé dos cosas: primero, sentite invitado a la belleza de la humildad, de la mansedumbre, de la sencillez; segundo, buscá en tu corazón en que punto estás en *outside*, en qué estás marginado y dejá que Jesús te convoque desde esa carencia tuya, desde ese límite tuyo, desde ese egoísmo tuyo. Dejate acariciar por Dios, y vas a entender más lo que es la sencillez, la mansedumbre y la unidad.[18]

NINGUNA JORNADA SIN EUCARISTÍA

Un gesto de cariño

¡Pueblo de Dios, no te olvides de tu Padre! Esta palabra, que es mandato y ruego, resuena hoy aquí de una manera especial. Recuerda Israel... recuerda quién eres y de dónde fuiste sacado. Moisés le habla así a su pueblo. Lo acabamos de escuchar: «Acuérdate del Señor, tu Dios, que te alimentó en el desierto con un maná que no conocían tus padres». El maná, ese poquito de «pan» que quedó guardado en el Arca de la Alianza junto a las tablas de la Ley, condensaba para el pueblo de Dios la memoria de la bondad de Dios: un Dios Padre, un Dios compañero de camino, un Dios que cuida a su pueblo, que lo hace caminar en su presencia y lo alienta con sus promesas... Y las promesas se cumplieron en Jesús. En Jesús todas las promesas del Padre se volvieron realidad, una realidad tan viva, cercana y tangible como el pan.

Hoy, en la fiesta del Corpus, volvemos a sentir ese antiguo ruego: ¡Acuérdate!, esta vez en labios de Jesús: ¡Recuerda que mi carne es el alimento de vida eterna que te da mi Padre! Yo vivo por el Padre, y el que me come vivirá por mí.

Acordarse del Padre no es un recuerdo más. Uno no se acuerda de su padre sin celebrar y agradecer; e inmediatamente, el recuerdo nos hace buscar algún gesto concreto que le haga llegar nuestro cariño: una visita, un llamado, un abrazo, una carta.

Con nuestro Padre del cielo ese gesto de cariño, que hace que nuestra memoria sea memoria viva, es comulgar. Jesús lo enseñó así en la última cena: hagan esto en memoria mía; el que me recibe a mí recibe al Padre que me envió. [...]

En la Eucaristía tenemos el testimonio de cómo es el amor del Padre: un amor cercano, incondicional; un amor que está disponible en todo momento, «comestible», puro don; apto para toda persona humilde y hambrienta que necesita renovar sus fuerzas.[1]

ESCUELA DE AMOR A DIOS Y AL PRÓJIMO

El Señor prepara la Eucaristía con los que se animan a ser hombres-cántaro, los que se dejan llenar el corazón con el agua viva del Espíritu y se dejan conducir por Él. [...]

Hoy a nosotros se nos pide que nos hagamos como aquellos hombres: hombres y mujeres-cántaro, que señalan caminos, que crean vínculos, porque tienen el corazón lleno del agua viva del Espíritu y muestran el sentido de la vida con gestos más que con palabras. Se nos pide que nos hagamos hombres y mujeres que preparan la mesa para el Señor y para sus hermanos, hombres y mujeres que crean encuentro con sus gestos de projimidad y de acogida. [...]

Ustedes levanten la mirada, mantengan el corazón abierto a la solidaridad, esa solidaridad que nadie debe robar del corazón de nuestro pueblo fiel, porque es su reserva, su tesoro, porque es esa sabiduría que nuestro pueblo aprende de niño en la escuela de amor que es la Eucaristía: escuela de amor a Dios y de amor al prójimo.

Cuando nos pongamos de rodillas en el momento de la consagración, mientras adoramos a Jesús diciendo «Señor mío y Dios mío», pidámosle a la Virgen, a Ella que sabe de cántaros vacíos, que le diga a Jesús como en Caná: «No tienen vino». Pidámosle que ruegue por nosotros, ahora, para que hagamos lo que Jesús nos diga.[2]

CONTAR LO CONTEMPLADO

En la visita y la adoración al Santísimo experimentamos la cercanía del Buen Pastor, la ternura de su amor, la presencia del amigo fiel. Todos hemos experimentado la ayuda tan grande que brinda la fe, el diálogo íntimo y personal con el Señor Sacramentado. Y el catequista no puede claudicar de esta hermosa vocación de contar lo que ha contemplado (I Jn 1 ss.).[3]

MORIR PARA ALIMENTAR

Acuérdate que el Pan del Cielo es un pan vivo, que te habla de siembra y de cosecha, porque es pan de una vida que tiene que morir para alimentar. Acuérdate que el Pan del Cielo es un pan para cada día porque tu futuro está en las manos del Padre Bueno y no solamente en la de los hombres. Acuérdate que el Pan del Cielo es un pan solidario que no sirve para ser acaparado sino para ser compartido y celebrado en familia. Acuérdate que el Pan del Cielo es pan de vida eterna y no pan perecedero. Acuérdate que el Pan del Cielo se parte para que abras los ojos de la fe y no seas incrédulo. Acuérdate que el Pan del Cielo te hace compañero de Jesús y te sienta a la mesa del Padre de la que no está excluido ninguno de tus hermanos. Acuérdate que el Pan del Cielo te hace vivir en intimidad con tu Dios y fraternalmente con tus hermanos. Acuérdate que el Pan del Cielo, para que lo pudieras comer, se partió en la Cruz y se repartió generosamente para salvación de todos. Acuérdate que el Pan del Cielo se multiplica cuando te ocupas de repartirlo. Acuérdate que el Pan del Cielo, te lo bendice, te lo parte con sus manos llagadas por amor y te lo sirve el mismo Señor resucitado. ¡Acuérdate! ¡Acuérdate! ¡No lo olvides nunca![4]

TRASPASADO Y DESANGRADO, ENTERO Y VIVO

La entrega generosa y total que deseaba hacer Jesús para salvarnos quedó resguardada en la Eucaristía contra todos los intentos de manipulación por parte de los hombres: de Judas, de los sumos sacerdotes y ancianos, del poder romano y también de todas las tergiversaciones que se intenten hacer a lo largo de la historia.

En la cena, con el lavado de los pies y con la Eucaristía, quedó claro el mensaje de Alianza: Jesús no quiere ser otra cosa que Pan de Vida para los hombres. Para el que no vivió esta Alianza, las escenas de la pasión le podrían hacer pensar que la sangre del Señor quedó desperdiciada, que su cuerpo, colgado en la cruz, quedó arruinado, como un despojo inútil. En cambio para los que comulgan con él, este Jesús traspasado y desangrado, está más entero y vivo que nunca. Ya hay esperanza de resurrección en la última cena.

El gesto de Jesús de partir el pan —frágil y tierno—, se convirtió en la señal para reconocer al resucitado: «Lo reconocieron al partir el pan». También para nosotros éste es el signo para creer en Jesús resucitado.[5]

FUERZAS PARA TRABAJAR

El Señor nos regala un pan que nos pone de nuevo en camino con fuerzas renovadas y nos envía de nuevo al trabajo, a la familia, a la patria: te queda mucho por recorrer. ¡Hay tanto por hacer!. Y con el Señor como alimento no le tememos a nada. No hay desaliento ni obstáculo que este pan no transforme en vida y en ganas de luchar y caminar.

Elías comió solo de este pan. En la soledad del profeta. Los jóvenes discípulos de Emaús lo comieron de a dos, como amigos que, juntos, emprenden el camino de regreso hacia la esperanza. Nosotros lo comemos entre todos, como Iglesia, como Pueblo de Dios. Y la fuerza de este pan se incrementa con nuestra unión y compañerismo. [...]

Este pan nos da una linda imagen de la Eucaristía: la del *viático*, que quiere decir: pan del camino. Es como el pancito que se lleva en el bolso como prenda del cariño de la familia, es el calor del hogar que llega hasta nuestro lugar de trabajo, si lo tenemos, o a los lugares que recorremos para buscarlo. Es un pan que nos impulsa a luchar por la familia, como si dijera: «¡Vamos!». Este ¡vamos! me trae al corazón el título del último librito del Papa: *¡Levántense! ¡Vamos!* Y quiero decírselo en particular a los más jóvenes: «Vamos confiados en Cristo. Él será quien nos acompañe en el camino hasta la meta que sólo Él conoce». Porque Él es el pan; Él se hizo Eucaristía para caminar con nosotros.

¡Levántese y coman! Coman de este pan que nos llena de fuerzas para trabajar por nuestra familia. ¡Levántense y coman! Coman de este pan que restaura nuestra dignidad y nos devuelve las ganas de seguir luchando y de cumplir con nuestra misión. ¡Levántense y coman! Coman de este pan que se comparte con el compañero de camino y que nos hace sentir hermanos, pueblo de la patria, pueblo de Dios.[6]

MAR ADENTRO

Queremos atraer sobre nosotros la mirada compañera de Jesús, el Hijo amado, que también se lanza mar adentro y viene a nuestro encuentro sobre nuestras fragilidades y las dificultades de la vida cuando ve que, por amor a él, hemos quedado expuestos, y necesitamos que nos dé una mano porque en la fe nos hemos lanzado al agua y solos no podemos. Para los amigos predilectos que se lanzan al mar, juntos y con audacia apostólica, el Señor tiene preparado en la orilla el desayuno de la Eucaristía, el Banquete del Pan del Camino que se comparte fraternalmente, en silencio adorante, entre misión y misión, capaz de restaurar las fuerzas más allá de toda expectativa.[7]

Dos caminos, pues, y en ambos es protagonista el Pan. El camino cotidiano, por entre las cosas de todos los días, en medio de la ciudad, que termina en la Eucaristía fraterna, en la misa. Y el camino largo de toda la vida, de la historia entera, que también terminará en la Comunión con el Señor, en el Banquete del cielo, en la Casa del Padre. La Eucaristía es el aliento y la recompensa en ambos caminos.

La Eucaristía cotidiana es el Pan de vida que restaura las fuerzas y pacifica el corazón, el Pan del único Sacrificio, el pan del encuentro. Pero a su vez es Pan de la Esperanza, el Pan partido que abre los ojos para ver con estupor al Resucitado que nos estuvo acompañando de incógnito durante todo el día, durante la vida entera. Pan que enciende el fervor del corazón y hace salir corriendo a la misión en la comunidad grande; Pan ancla que tironea el corazón hacia el cielo y despierta en los hijos pródigos el hambre del Dios más grande, el deseo de la casa Paterna.

La certeza de este Pan de vida la tenemos clara. Por eso amamos la Eucaristía y la adoramos. Por eso le damos la primera comunión a nuestros hijos. Las dificultades están en el camino. En lo cotidiano una dificultad puede ser la del desencuentro: que no encontremos al hombre del cántaro —ese cántaro de agua viva, imagen del Espíritu Santo que nos guía— y nos perdamos por las calles de la ciudad, entre las mil circunstancias cambiantes que trae la vida. Y entonces, que el día no termine en la Eucaristía que el Señor nos tiene preparada, sino que por falta de tiempo, por distracción o problemas, el día se termine porque se terminó, rendidos de cansancio, sin referencia a Dios. Si no hay Encuentro con Jesús la vida se nos vuelve inconsistente, va perdiendo sentido. El Señor tiene dispuesta una Eucaristía —un encuentro— cada día, para nosotros, para nuestra familia, para la Iglesia entera. Y nuestro corazón tiene que aprender a adherirse a esta Eucaristía cotidiana —sintetizada en la misa dominical— de modo tal que cada día quede «salvado», bendecido, convertido en ofrenda agradable, puesto en manos del Padre, como Jesús con su carga de amor y de cruz.[8]

VIRTUDES Y TROPIEZOS DEL CRISTIANO

Esta libertad, liberada de aquellos marcos institucionales que le conferían armonía, ha sido apresada por el mercado. En síntesis: si no recuperamos la noción de verdad, sin una racionalidad compartida, dialogal, una búsqueda de los mejores medios para alcanzar los fines más deseables (para todos y cada uno), queda sólo la ley del más fuerte, la ley de la selva.. Entonces: cuanto más nos preocupemos por desarrollar un pensamiento crítico, por afinar nuestro sentido ético, por mejorar nuestras capacidades, nuestra creatividad y nuestros recursos, tanto más podremos evitar ser esclavos de la publicidad, de la planificada (por otros) exacerbación de lo inmediato, de la manipulación de la información, del desaliento que recluye a cada uno en su interés individual.[1]

LA CLAVE DE LA COHERENCIA

¿Y entonces? La clave para ganar en coherencia sin fingir una perfección imposible, será caminar en humildad dispuestos al discernimiento, personal y comunitario, evitando el juicio condenatorio del otro; abiertos tanto a la corrección fraterna, como al perdón y a la reconciliación. Reconocer juntos que somos peregrinos, mujeres y hombres débiles y pecadores pero con memoria y en búsqueda de un amor más pleno, que nos sane y nos levante. Esa puede ser una forma de trocar la discontinuidad por la disposición al acercamiento, a hacernos próximos en medio de las diferencias.[2]

EL DEMONIO, MAL PAGADOR

Hoy, también para nosotros, en esta Pascua de Buenos Aires, se dirige el reproche: «No busquen entre los muertos al que está vivo». ¡Recuerden! El reproche nos despierta la memoria, nos acerca la fuerza de la promesa. Estamos viviendo una situación en que necesitamos de mucha memoria. Recordar, traer a nuestro corazón la gran reserva espiritual de nuestro pueblo, la que le fue anunciada en los momentos de evangelización y que selló en su corazón sencillo la Verdad de que Jesús está vivo. Traer a la memoria la hermandad que El nos ganó con su sangre, la vigencia de los Diez Mandamientos, la valentía de saber que el pecado es mal negocio pues el demonio es mal pagador, que los pactos de impunidad siempre son provisorios, y que nadie se ría de Dios.[3]

LA BENDICIÓN DEL DOLOR

En este día, con el Evangelio de las Bienaventuranzas, el Señor da un paso más en su enseñanza: El dolor no es solamente algo que reclama ayuda y exige soluciones. El dolor, si se lo vive como nos enseña Cristo, esconde también una bendición y hasta una cierta alegría. Alegría dolorosa, ciertamente, pero verdadera. ¡Qué consolador es escuchar todos juntos, como pueblo reunido por la fe, este Evangelio de las Bienaventuranzas de Jesús! Jesús se acerca a las cosas que nos duelen, que nos dan miedo, que nos preocupan, que nos angustian... y las transforma con su Palabra, con esa Palabra suya tan cercana y compañera, palabra de amigo y palabra de Dios.

Podemos decir que cuando Jesús se acerca a nuestro dolor las cosas se ven distintas: Jesús nos habla de los pobres, de los que tienen hambre, de los que lloran, de los que son injustamente perseguidos... pero hay esperanza en su tono de voz, hasta nos consuela escucharlo. Felices Ustedes los que ahora lloran porque serán consolados, nos dice. Y esa palabra ya es como si nos enjugara las lágrimas.

Y sucede algo más todavía. Cuando Jesús dice: pobres de Ustedes, los ricos, los que ahora están satisfechos, los que ahora se ríen, los que sólo reciben alabanzas..., más que darnos bronca, estas personas de las que habla Jesús terminan dándonos pena. Es como si viéramos su necedad, que lo suyo va a terminar mal. [...]

Jesús mira hondo en los corazones de cada uno de nosotros, que venimos cargados de penas y agobiados por los problemas de trabajo y nos va diciendo: Feliz vos que estás aquí, haciendo cola para pedir pan y trabajo. Feliz vos que tenés un corazón humilde y no te sentís ni más ni menos que tu hermano que está a tu lado. Feliz vos que podes estar orgulloso de no tener ningún privilegio, salvo el de ser mi hijo muy querido. Feliz vos que tenés esa bronca que es hambre y sed de justicia y sabés reclamar y protestar, pero sin hacer daño a nadie, y antes que nada venís a pedirle a tu Dios y Señor. Feliz vos que hacés el bien y muchas veces sos malentendido y criticado, pero no bajás los brazos de tu esperanza. Feliz vos que sabés llorar con mansedumbre y esperando sólo en Dios... Feliz no por lo que te falta, ni porque se te vayan a solucionar ya mismo todos tus sufrimientos (siempre hay algún sufrimiento), sino feliz porque el don de Dios es tan grande que sólo si tu corazón está desmedidamente abierto lo podrás recibir. Por eso Jesús llama felices a los que les pasan cosas que les abren el corazón y se lo ensanchan.[4]

CON LA VERDAD NO SE NEGOCIA

Y la verdad siempre es combativa, pero también es combatida. Es combativa porque es combatida. La verdad no es una cosa, la verdad es la adhesión de mi corazón a aquello que se me ha revelado. Aquello que se me evidencia, aquello que da sentido a mi vida. Ustedes chicos y chicas dan esperanza porque quieren caminar en la luz de la verdad. Los apóstoles, lo leímos en la primera lectura, fueron perseguidos por la verdad, no la negociaron nunca. La mentira es hija de las tinieblas; pero entre verdad y mentira está toda esa gama que ofrece el mercado de semiverdades, de verdades a medias. El «ni», el lenguaje del «ni». No es el «si-si, no-no» sino el «ni-ni». Donde uno se puede acomodar según como quiera, según como le convenga. Y ese es lenguaje de tinieblas.

Sin embargo las tinieblas no siempre es oscuridad. Hay tinieblas que están disfrazadas de luz, sépanlo chicos. Nos contaron el cuento de cuando a los indios le vendían vidrios de colores diciéndoles que eran piedras preciosas. Mi abuela decía «chafalonería». Hoy también está lleno de vendedores de vidrios de colores, y que les dicen: esto es la verdad, esta es la verdad: es la fácil, la tuya, la que te gusta. Pero el camino de la verdad es arduo, sépanlo. A los apóstoles les costó persecución y cárcel... es arduo.

Esto es lo que les quiero decir al comenzar las clases con este sentimiento de «terca esperanza». Donde está la verdad está la luz, pero no la confundan con el *flash*. Donde está la verdad hay alegría de adentro, no circo. Es muy fácil armar un circo para reírnos un rato, y después queda la secuela de la mueca. ¡Defiendan la verdad, busquen la verdad, déjense poseer por la verdad que es el camino arduo y aquello que le va a dar sentido a la vida y aquello que los va a plenificar con la alegría y la felicidad! Sabiendo que la verdad no se negocia, no es lo fácil.[5]

ADORAR

Hoy más que nunca se hace necesario «adorar en espíritu y verdad» (Jn 4, 24). Es una tarea indispensable del catequista que quiera echar raíces en Dios, que quiere no desfallecer en medio de tanta conmoción.

Hoy más que nunca se hace necesario adorar para hacer posible la projimidad que reclama estos tiempos de crisis. Sólo en la contemplación del misterio de Amor que vence distancias y se hace cercanía, encontraremos la fuerza para no caer en la tentación de seguir de largo, sin detenernos en el camino.

Hoy más que nunca se hace necesario enseñar a adorar a nuestros catequizandos, para que nuestra Catequesis sea verdaderamente Iniciación y no sólo enseñanza.

Hoy más que nunca se hace necesario adorar para no apabullarnos con palabras que a veces ocultan el Misterio, sino regalarnos el silencio lleno de admiración que calla ante la Palabra que se hace presencia y cercanía.

¡Hoy más que nunca se hace necesario adorar!

Porque adorar es postrarse, es reconocer desde la humildad la grandeza infinita de Dios. Sólo la verdadera humildad puede reconocer la verdadera grandeza, y reconoce también lo pequeño que pretende presentarse como grande. Quizá una de las mayores perversiones de nuestro tiempo es que se nos propone adorar lo humano dejando de lado lo divino. «Sólo al Señor adorarás» es el gran desafío ante tantas propuestas de nada y vacío. No adorar a los ídolos contemporáneos —con sus cantos de sirena— es el gran desafío de nuestro presente, no adorar lo no adorable es el gran signo de los tiempos de hoy. Ídolos que causan muerte no merecen adoración alguna, sólo el Dios de la vida merece «adoración y gloria».

Adorar es mirar con confianza a Aquel que aparece como confiable porque es dador de vida, instrumento de paz, generador de encuentro y solidaridad.

Adorar es estar de pie ante todo lo no adorable, porque la adoración nos vuelve libres y nos vuelve personas llenas de vida.

Adorar no es vaciarse sino llenarse, es reconocer y entrar en comunión con el Amor. Nadie adora a quien no ama, nadie adora a quien no considera como su amor. ¡Somos amados! ¡Somos queridos!, «Dios es amor». Esta certeza es la que nos lleva a adorar con todo nuestro corazón a Aquel que «nos amó primero» (I Jn 4,10).[6]

LA FRAGILIDAD AMOROSA

Contra la fragmentación que proviene del egoísmo, le pedimos la gracia de la fragilidad amorosa que proviene de la entrega.

Contra la fragmentación que nos vuelve miedosos y agresivos, le pedimos la gracia de ser como el pan que se parte para que alcance. Y no sólo para que alcance sino por la alegría de compartirlo y de intercambiarlo.

Contra la fragmentación de estar cada uno aislado y sumido en sus propios intereses, le pedimos la gracia de estar enteros, cada uno en su puesto, luchando por lo de todos, por el bien común.

Contra la fragmentación que brota del escepticismo y de la desconfianza, le pedimos al Señor la gracia de la fe y de la esperanza, que nos lleva a gastarnos y desgastarnos confiando en Él y en nuestros hermanos.

Que nuestra Madre y Señora, la Virgen Santísima, que convivió con la fragilidad de Jesús, que la cuidó en el Niño, y la sostuvo al bajar a su Hijo de la Cruz, nos enseñe el secreto de mirar con fe toda fragilidad humana y de cuidarla con caridad, porque de allí, por la presencia real de Jesús en la Eucaristía, brota la auténtica esperanza.[7]

TENTACIONES DE LA VIDA CRISTIANA

En este punto, al cual sin duda todos habremos llegado al responder a nuestra vocación, pueden cruzarse algunos malentendidos que dan lugar a verdaderas tentaciones.

La primera es la de quedarnos en una concepción meramente «piadosa» de la Sabiduría encarnada en Jesús de Nazaret. Hacer de ella sólo una experiencia «interior», »subjetiva», dejando de lado el costado «objetivo», la mirada real sobre el mundo, el movimiento del corazón a la luz de esa comprensión, la concreta determinación que incluye la creación de mediaciones eficaces para aproximarnos al ideal. Es la tentación permanente de las tendencias «pseudomísticas» de la existencia cristiana.

Esta perspectiva, sin dejar de constituir uno de los aspectos del Misterio cristiano (y de toda mística religiosa), termina reduciéndose a una especie de elitismo del espíritu, a una experiencia extática de «elegidos» que rompe con la historia real y concreta. Las «elites» ilustradas, por dinamismo interno, nos despojan del sentido de pertenencia a un pueblo, en este caso el pueblo de Dios que ahora es la Iglesia. Las «elites» ilustradas clausuran todo horizonte que nos provoca a seguir andando y revierten nuestra acción hacia adentro, en un inmanentismo sin esperanza. En la base de este elitismo del espíritu, despotenciador de toda sabiduría, está la negación de la verdad fundamental de nuestra fe: el Verbo es venido en carne (1 Jn. 4, 2). [...]

Se trata de una concepción más apta para desarrollar lo que hoy llamaríamos una religiosidad *new age* que una auténtica fe en Jesús de Nazaret y su Buena Noticia. En tiempos de orfandad y falta de sentido, como los que hoy vivimos, esta unilateralidad de lo «místico» constituye una experiencia sin duda consoladora y benéfica. Pero lo cierto es que, al cabo de un tiempo, el misterio de la condición pecadora del ser humano desmiente las pretensiones de «elevación por encima de lo mundano» que esta deficiente espiritualidad implica, y le obliga a revelar su faceta oculta de mentira y autoengaño.

¿De qué modo afectará a nuestra tarea en el aula una acentuación semejante de la sabiduría cristiana? Entre otras formas, a través de una concepción mágica de la fe y a veces de los sacramentos. [...]

Menciono algunas situaciones que se dan, entre las varias posibles: rutina y ausencia.

A veces absolutizamos los signos del encuentro con Dios hasta el punto de descuidar lo que esos signos deberían significar, no hacemos otra cosa que invalidarlos, hacerles perder consistencia, mecanizarlos. En la misma línea, hemos confiado a veces demasiado en la exaltación de lo emocional en la convivencia catequística, en el retiro de jóvenes, en el buen momento vivido en el día de la familia... Momentos de gratuidad, sí, de fiesta y alegría, pero por momentos tan inconsistentes... La alabanza y gozo en el

Señor no son «instrumentos» o «medios» para nada sino que expresan el resplandor de una vida verdaderamente evangélica, el descanso en el camino efectivamente transitado, el anticipo de la felicidad esperada.

Finalmente, otra forma de parecernos a los corintios de san Pablo: el culto a la espontaneidad... traducida en improvisación. La justa crítica de lo burocrático, de la formalidad porque sí, del apego al procedimiento y al reglamento, la prioridad del «espíritu» sobre la «letra», también nos puede llevar a la mediocridad y la inoperancia, cuando no al mero culto de la personalidad y, en definitiva, a la deserción de la misión que se nos ha encomendado, haciéndola naufragar en una lamentable parodia de comunidad viva y creativa que, como la mentira, tiene patas cortas.

En el otro extremo, la Sabiduría cristiana se convierte en un hecho predominantemente «objetivo», una «bandera» que, sobre el icono del Cristo histórico que no permaneció en el sepulcro sino que fue exaltado como Señor, perfila un nuevo orden social y cultural observable, una serie de certezas identificadas con alguna realización histórica concreta. La «objetividad» de la Resurrección de Cristo, según esta concepción reductiva, daría lugar a la «objetividad» de su triunfo en la historia, al modo de una identificación entre el Reino de Dios y el de este mundo, que una y otra vez se reedita en la historia de la Iglesia y que, ya en lo albores del cristianismo, mereció una importante página crítica del Evangelio de Juan en el diálogo entre Jesús y Pilato (Jn 18, 33-37). En efecto, ¿por qué renunciaría Jesús a convocar a sus ángeles para defender su Reino? Porque ese Reino «no era de este mundo», no se trataba de otra alternativa política, social o cultural fatalmente atada a la caducidad de todo lo que nace, crece y muere en el tiempo.

Y si el cristianismo «místico» daba lugar a una especie de elitismo o de «celebración del narcisismo», su opuesto, el extremo «histórico» le abre las puertas a un «autoritarismo del espíritu» que, al igual que el anterior, termina indefectiblemente tocando la «carne» de los seres humanos. Porque la condición histórica como conflicto de subjetividades, como campo ambiguo donde las cosas nunca son absolutamente blancas o negras (cf. la parábola del trigo y la cizaña) siempre hace caer por tierra los órdenes «perfectos» y «definitivos» y los obliga a mostrar la capacidad de maldad que les es propia. Finalmente, asoma la voluntad de dominio que el ser humano lleva adentro, en este caso camuflada por la contemplación del triunfo de Cristo sobre la muerte. [...]

El desafío es mayor: pide hondura, pide atención a la vida, pide sanar y liberar de ídolos... y cabe aquí la precisión: tanto la concepción «mística» como la «histórico-política» configuran un triunfalismo, verdadera caricatura del real triunfo de Cristo sobre el pecado y la muerte.[8]

CONOCERNOS A NOSOTROS MISMOS A LA LUZ DE DIOS

El juicio de una persona frente a la vida, el juicio de una persona frente a sí mismo, el juicio de una persona frente a Dios, se da en esta opción fundamental: o yo no le tengo miedo a la luz y me muestro como soy, si me planto asumiendo todas las consecuencias o me escabullo en las tinieblas para tapar en el clarioscuro de las ambigüedades o de esas miles y una defensas inconcientes, subconscientes o concientes que tenemos para tapar, allí, la verdad.

Cuando nos metemos en la luz aparecemos tal cual somos y a veces duele eso, duele mucho. Pero es un dolor fecundo, es un dolor que da vida, es un dolor que hace crecer. Las tinieblas empiezan con el signo contrario son una buena anestesia, no duelen pero te llevan a la desorientación al autoengaño, en última instancia no tienen salida. [...]

El camino más que palabras entonces, más que ideas son gestos y los gestos son muy sencillos, lo acabamos de escuchar en la carta a los Colosenses: «Practiquen la benevolencia» es decir no se muerdan las orejas unos a otros...benevolencia. Revístanse de profunda compasión. Compasión no es tener lástima, es padecer con. Corazones abiertos para padecer con los problemas de los demás. Mirar alrededor nuestro e incorporar en nuestra vida y caminar diario, los problemas de los demás.

Y vuelvo a insistir: practiquen la benevolencia, la humildad, la dulzura y la paciencia. Y, como si esto no bastara, de paciencia dice: »Sopórtense los unos a los otros y perdónense mutuamente siempre que alguien tenga algo contra otro». Soportarnos y perdonarnos, ser humildes y pacientes, ser comprensivos son gestos, gestos de projimidad, gestos de caridad, gestos de amor. [9]

LA GRACIA PARA CUMPLIR EL PRECEPTO

«Para Dios todo es posible», responde Jesús con claridad y firmeza, anunciándonos y comunicándonos así el *Evangelio de la gracia*. No es posible para los hombres vivir la ley santa de Dios en el seguimiento de Cristo sin la gracia, es decir, sin la vida nueva del Espíritu, sin dejarse conducir por el Espíritu (cf. Rm 8, 14).

La vida moral de los hombres de todos los tiempos está llamada a ser «vida según el Espíritu» (Rm 8, 1-12). «Imitar y revivir el amor de Cristo no es posible para el hombre con sus solas fuerzas. Se hace *capaz de este amor sólo gracias a un don recibido*.» (*Veritatis Splendor* 22), y, «*El don de Cristo es su Espíritu*, cuyo primer «fruto» (cf. Ga 5, 22) es la caridad: «El amor de Dios ha sido derramado en nuestros corazones por el Espíritu Santo que nos ha sido dado» (Rm 5, 5)» (VS 22).

San Agustín se pregunta lúcidamente «¿Es el amor el que nos hace observar los mandamientos, o bien es la observancia de los mandamientos la que hace nacer el amor?.» Y responde: «Pero ¿quién puede dudar de que el amor precede a la observancia? En efecto, quien no ama está sin motivaciones para guardar los mandamientos»

Esto nos lleva a una conclusión fundamental que el Papa explicita: «El amor y la vida según el Evangelio no pueden proponerse ante todo bajo la categoría de precepto, porque lo que exigen supera las fuerzas del hombre. Sólo son posibles como fruto de un don de Dios, que sana, cura y transforma el corazón del hombre por medio de su gracia» (VS 23).

Por proponer la moral cristiana desde la perspectiva del *precepto*, desde *lo mandado*, quizás se explique en parte que el hombre contemporáneo, especialmente en nuestros pueblos de tradición cristiana, cayera en una grave tentación: ante la experiencia de la imposibilidad de observar la ley santa de Dios, el hombre quiere ser él mismo quien decide sobre lo que es bueno o malo (cfr. VS 102). [...]

Presentar y testimoniar la moral cristiana desde la centralidad de la gracia, es presentarla y testimoniarla a la luz de la esperanza. ¿Acaso el hombre de hoy no ha suplido la esperanza por el optimismo? ¿Acaso no sentimos a nuestro alrededor el clamor angustiante de tantos hombres que están desilusionados, desesperanzados?

Solo con la ayuda de la gracia, del don del Espíritu, y la colaboración de nuestra libertad es posible para todos los hombres de hoy que vivan su existencia en este mundo a la luz de la esperanza.[10]

¿CÓMO SE CONSIGUE LA COHERENCIA?

Dios quiso ser coherente y nos marca el camino de la coherencia. María es coherente y nos marca el camino de la coherencia, hace lo que cree, proclama lo que cree, realiza lo que cree. Y no sólo coherencia trascendental sino dentro de sí misma. Cristo piensa coherentemente porque piensa lo que siente y lo que hace. Siente coherentemente porque siente lo que piensa y lo que hace. Obra coherentemente porque hace lo que siente y lo que piensa. Coherencia obediencial, coherencia transparente, coherencia que no tiene nada que ocultar, coherencia que es pura bondad y que vence al mal con ese bien coherente de haberse ofrecido «para hacer tu voluntad», le dice al Padre. [...]

La coherencia no se compra, la coherencia no se estudia en ninguna carrera. La coherencia se va labrando en el corazón con la adoración, con la unción al servicio de los demás y con la rectitud de conducta. Sin mentiras, sin engaños, sin doblez. [...]

Recordamos a un hombre coherente que una vez nos dijo que este siglo no necesita de maestros, necesita de testigos, y el coherente es un testigo. Un hombre que pone su carne en el asador y avala con su carne y con su vida entera, con su transparencia, aquello que predica.[11]

LOS CRISTIANOS, ESOS INADAPTADOS

Los cristianos deberíamos ser los primeros (¡y no siempre los somos!) en rechazar la identificación apresurada entre «madurez» y «adaptación». Jesús, nada menos, podría haberse constituido para muchos en su tiempo en el paradigma del inadaptado y, por lo tanto, del inmaduro. Así lo atestiguan los mismos Evangelios, al consignar las reacciones ante sus prácticas («Es un glotón y un borracho, amigo de publicanos y pecadores», Mt 11, 19) y ante sus rupturas con los marcos institucionales («Cuando sus parientes se enteraron, salieron para llevárselo, porque decían: "Es un exaltado"», Mc 3, 21 y la respuesta de Jesús acerca de su «verdadera familia», 33-35). Lo mismo está implicado en su polémica con los fariseos y los sumos sacerdotes respecto a la Ley y al Templo. Podríamos leer los Evangelios completos, y particularmente el de Juan, como el intento de responder a esta pregunta dirigida al Señor: «¿Con qué autoridad haces estas cosas? ¿Quién te dio autoridad para hacerlas?» (Mc 11, 28). En aquella época, en la cual no había una mentalidad científica y ni siquiera humanista en el sentido moderno, no se consideraba «inmaduro» al que desafiaba de algún modo a la autoridad, lo instituido o la mayoría, sino «endemoniado» (Jn 8, 48. 52) o «blasfemo» (Jn 10, 33). Así, la reacción ante la actitud de Jesús culminaría en las acusaciones mortales de blasfemia primero (Mt 26, 65-66) y luego de rebeldía contra el César (Jn19, 12-15).

¿Y qué decir de san Pablo, indeseable para tantas situaciones del *establishment* al punto de la cárcel, la lapidación y finalmente la ejecución? ¿Y de tantos y tantas mártires y confesores, enfrentándose a los criterios y valores de su tiempo, atrayendo sobre sí las iras del poder? Bien considerado, los santos siempre han sido como una piedra en el zapato de sus contemporáneos. Y no puede ser de otro modo, habida cuenta la fuente de la autoridad de Jesús, que trasciende a todo «buen juicio» posible en este mundo.

Si la madurez fuera lisa y llanamente adaptación, la finalidad de nuestra tarea educadora sería «adaptar» a los chicos, esas «criaturas anárquicas», a las buenas normas de la sociedad, sean cuales fueren. ¿A costa de qué? A costa de un amordazamiento y sumisión de la subjetividad. O peor aún a costa de la privación de lo más propio y sagrado de la persona: su libertad. ¡Tremendo desafío, entonces, la educación en y para la libertad, ya que supondrá en todos nosotros, docentes y formadores, pastores y maestros, una abnegada relativización de nuestra forma de ver y sentir para disponernos a la búsqueda humilde y sincera de la verdad.

Por una vía indirecta, entonces, llegamos a ver que la madurez implica, más que la «adaptación» a un modelo imperante, la capacidad de tomar posición desde sí mismo en la situación determinada en que uno se encuentra. Es decir, la posesión de la libertad para elegir y decidir según la propia experiencia y deseo, en consonancia con los valores a los que adhiere. [...]

No es el poder lo que han rechazado los mártires: era el poder que beneficiaba sólo a algunos. No es la Ley lo que Jesús combatía: era la Ley que se ponía por encima del reconocimiento del prójimo. No es de la mayoría que el testigo de la verdad reniega: es de la mayoría en tanto que priva de visibilidad y palabra a todo lo demás, a las otras presencias y las otras voces.[12]

EL SENTIDO DE LA REDENCIÓN

Pasaron muchos siglos desde que la humanidad comenzó a oscurecerse. Pienso en aquella tarde en que se cometió el primer crimen y el cuchillo de Caín segó la vida de su hermano (Gen. 4: 8).

Pasaron muchos siglos de crímenes, guerras, esclavitud, odio. Y aquel Dios que había sembrado su ilusión en la carne del hombre, hecho a su imagen y semejanza, seguía esperando. ¡Las ilusiones de Dios! Motivo tenían para desaparecer. Pero Él no podía: estaba «esclavizado», por decirlo así, a su fidelidad, no podía negarse a sí mismo el Dios fiel (2 Tim. 2, 13). Y ese Dios seguía esperando. Sus ilusiones, enraizadas en su fidelidad, eran custodiadas por la paciencia. ¡La paciencia de Dios frente a la corrupción de pueblos y hombres! Sólo un pequeño resto «pobre y humilde, que se refugiaba en el nombre del Señor» (Sof. 3, 12) acompañaba su paciencia en medio de las tinieblas, compartía sus ilusiones primeras.

Y, en este andar histórico, esta noche de eclosión de luz en medio de las tinieblas nos dice que Dios es Padre y no se decepciona nunca. Las tinieblas del pecado y de la corrupción de siglos no le bastan para decepcionarlo. Aquí está el anuncio de esta noche: Dios tiene corazón de Padre y no reniega de sus ilusiones para con sus hijos. Nuestro Dios no se decepciona, no se lo permite. No conoce el desplante y la impaciencia; simplemente espera, espera siempre como el padre de la parábola (Lc. 15. 20) porque a cada momento sube a la terraza de la historia para vislumbrar de lejos el regreso de los hijos. [...]

El reino de la apariencia, el autosuficiente y fugaz, el reino del pecado y la corrupción; las guerras y el odio de siglos y de hoy se estrellan en la mansedumbre de esta noche silenciosa, en la ternura de un niño que concentra en sí todo el amor, toda la paciencia de Dios que no se otorga a sí mismo el derecho de decepcionarse. Y, junto al niño, cobijando las ilusiones de Dios, está la Madre; su Madre y nuestra Madre que, entre caricias y sonrisas, nos sigue diciendo a lo largo de la historia: «Hagan todo lo que Él les diga» (Ju. 2, 5).

Esto es lo que quisiera compartir hoy en la paz de esta noche santa: nuestro Dios es Padre, no se decepciona. Espera hasta el final. Nos ha dado a su Hijo como hermano para que caminase con nosotros, para que fuese luz en medio de la oscuridad y nos acompañara en el aguardar «la feliz esperanza» definitiva (Tit. 2, 13).

Nuestro Dios, el mismo que sembró sus ilusiones en nosotros, el mismo que no se concede decepcionarse de su obra, es nuestra esperanza. Como los Ángeles a los pastores quisiera decirles hoy: «No tengan miedo». No le tengan miedo a nadie. Dejen que vengan las lluvias, los terremotos, los vientos, la corrupción, las persecuciones al «resto» de los justos... (cfr. Mt. 7, 24-25). No tengan miedo siempre que nuestra casa esté cimentada sobre la roca de esta convicción: el Padre aguarda, tiene paciencia, nos ama, nos manda a su Hijo para que camine con nosotros; no tengan miedo mientras estemos cimentados sobre la convicción de que nuestro Dios no se decepciona y nos espera.[13]

DIOS «TE DESINSTALA» DE LA PARÁLISIS ESPIRITUAL

Si hay algo que paraliza la vida es renunciar a seguir caminando para aferrarse a lo ya adquirido, a lo seguro, a lo de siempre. Por ello, el Señor te desinstala. Y lo hace sin anestesia... Como hoy a Abraham. Le pide que le entregue a su hijo, sus sueños, sus proyectos...Lo está podando sin explicación, lo está iniciando en la escuela del desprendimiento, para que sea auténticamente libre, plenamente disponible a los proyectos de Dios, para hacerlo, así, colaborador de la historia grande, la historia de salvación para él y sobre todo, para el pueblo a él confiado.

Las únicas palabras de Abraham a Dios que aparecen en el texto que hoy hemos escuchado son «Aquí estoy». Dos veces y solamente esto es lo que dice Abraham: aquí estoy. Y en esas dos palabras, «aquí estoy», está todo! Como el profeta, como el creyente, como el peregrino.... «el aquí estoy», «el hágase en mi según tu palabra, el amen... son las únicas respuestas posibles. Sino están éstas, todo lo demás, es ruido, distrae, confunde... Si no podemos pronunciar con nuestra vida el «aquí estoy», mejor calla, no hables, no sea que te sumes a tanto palabrerío hueco que anda dando vuelta por nuestra gran ciudad. ¡Cómo nos cuesta decir «Aquí estoy»! Muchas veces lo condicionamos...Aquí estoy si coincide con lo que yo pienso... Aquí estoy si me gusta la propuesta, los tiempos... Aquí estoy si no me significa morir a mis planes, proyectos, quintitas... [...]

Prestemos también atención al Evangelio de hoy. Dice el texto de Marcos: *»Pedro estaba tan asustado que no sabía lo que decía»*: al Pedro miedoso, cerrado al Espíritu, le nace la tentación de quedarse instalado en el monte, renunciando al llamado de ser levadura del llano. Es una tentación sutil del espíritu del mal. No lo tienta con algo grosero, más bien con algo aparentemente piadoso, pero que lo desvía de su misión, de aquello para lo cual fue elegido por Dios. La mirada se achica, la tentación del instalarse también se hace presente en la vida del apóstol... El estar bien, seguro, cómodo, hasta espiritualmente contenido, puedo ser tentación del camino de nuestra vida y ministerio de catequistas. Quedémosnos aquí en nuestras carpas, en nuestros montes, en nuestras orillas, en nuestras parroquias, en nuestras comunidades tan lindas y prolijas... pueden ser muchas veces, no signo de piedad y pertenencia eclesial, sino cobardía, comodidad, falta de horizonte, rutina... que suele tener como principal causa que no hemos escuchado bien al Hijo amado de Dios, no lo hemos contemplado, no lo hemos entendido...[14]

JESÚS, SIGNO DE CONTRADICCIÓN, «DESTAPA LAS OLLAS»

La bondad con la que Jesús está ungido es un «hoy» tan fuerte, tiene un poder de realización tan intenso que produce contradicción, no permite que las cosas vayan por el camino formal de los buenos modales; hace salir lo que cada uno tiene en el corazón. A algunos, como a nuestra Señora, la presencia de Jesús les abre el alma como con una espada y los unge con su Espíritu derramando en ellos todo su amor. A otros, como a los fariseos, no les permite ocultar su egoísmo ni posponer su bronca, y los vuelve obstinados en su encerramiento. El hoy del Ungido interpela, destapa las ollas, desinstala de posturas tomadas. El Señor anuncia una buena noticia que libera y hace ver. Allí es donde unos se dejan ungir y misionar para ayudar a los demás y otros cierran los ojos y vuelven a su esclavitud, en la que se sienten más cómodos y seguros. [...]

El Señor viene a anunciar la buena noticia que esperaba la fe, esa buena noticia que nos desinstala haciendo que se desenmascare nuestro escepticismo (ese que siempre piensa «¿pero no es este el hijo de José»?), y que podamos entregarle nuestra fe total; el Señor viene a prestar el servicio de misericordia que nos desinstala de nuestro pecado, y nos pone ante la opción de ser como las viudas y los leprosos de Israel que no se dejaron curar o, por el contrario, como Nahamán el sirio y la viuda de Sarepta que recibieron la sanación; el Señor viene a inaugurar su Reino; con su humildad y mansedumbre nos desinstala de todo sueño cómodo de poder y vanidad eclesiásticos y nos invita a volvernos disponibles, a estar al servicio de los demás.

La palabra y los gestos del Señor liberan y abren los ojos de todos. Nadie queda indiferente. La palabra del Señor siempre hace optar. Y uno, o se convierte y pide ayuda y más luz o se cierra y se adhiere con más fuerza a sus cadenas y tinieblas.

La misión que el Señor realiza no es una tarea externa —yo anuncio y después ustedes vean—; es una misión que a él le implica el don total de sí y a los que lo reciben les implica recibirlo íntegramente. De allí la unción. La unción es un don total. Sólo puede ungir el que tiene la unción y sólo puede ser ungido el que se anonada y se despoja de sí para poder recibir este don total. [...]

El espíritu unge al Señor hoy para realizar su misión hoy, en ese hoy permanente del Reino. La unción es tan total que siempre es hoy, cuando se recibe todo se transforma en hoy. La fe es hoy, la esperanza es hoy, la caridad es hoy, aquí y ahora. No hay lugar para poner nada entre paréntesis. Por eso la necesidad del Señor de desinstalarnos de todo aquello que impide que seamos ungidos hoy para ungir a los demás. La unción sella un hoy que se vuelve permanente, que se hace Iglesia, Asamblea. La unción sella una misión que necesita toda la persona, todos los días, para ir a todas partes a ungir a todos los hombres, con todo el corazón. Por eso la unción es verdaderamente católica, en sentido cuantitativo y cualitativo. [...]

Jesús instaura el Reino mostrándose soberano. Así, desinstalado de todo —incluso de la buena opinión de sus paisanos— comienza a predicar y a hacer real el Reino.[15]

EL ESPÍRITU DE LAS BIENAVENTURANZAS

Las Bienaventuranzas el Señor las dijo para todos y, si es verdad que marcan con claridad nuestras zonas de sombra y de pecado, también es verdad que comienzan con una bendición y terminan con una promesa que nos consuela. Dios congregó a su pueblo en torno a la verdad, al bien y a la belleza que proclaman las Bienaventuranzas. Ojalá que al escucharlas no busquemos aplicarlas críticamente a los demás, sino que las recibamos enteras todos, cada uno con corazón simple y abierto. [...]

Hoy nos sentimos llamados —todos, sin excepción— a confrontarnos con este testimonio que brota del sentimiento íntimo de Jesús. Estamos llamados a una vocación: construir la dicha, unos por los otros: es lo que nos llevaremos de este mundo. En las Bienaventuranzas el Señor nos indica el camino por donde los seres humanos podemos encontrar la felicidad más auténticamente humana y divina. Nos proporciona el espejo donde mirarnos, el que nos deja saber si vamos por el sendero de serenidad, de paz y de sentido en que podemos disfrutar de nuestra existencia en común. La Bienaventuranza es simple y, por eso mismo, es un trayecto por demás exigente y un espejo que no miente. Rehúye al eticismo descomprometido y a la moralina barata.[16]

CORAJE EN LAS PERSECUCIONES

Para entrar en el seguimiento de Jesucristo hace falta coraje, ese coraje de Dios y a la vez, siendo maltratados e insultados, hace falta aguante, aguante apostólico, ese sobrellevar sobre los hombros todas las dificultades de la vida cotidiana, todas las dificultades de la predicación del Evangelio, todas las dificultades de aquellos —que el mismo Pablo define— enemigos de la cruz de Cristo que quieren que les adulen los oídos y que les digan lo que les guste, que le digan lo que ellos quieren que el Evangelio diga, no lo que dice el Evangelio. Por eso Pablo les dice «yo no estuve con ustedes con palabras de adulación».

El diálogo tan encantador entre la Iglesia y el Pastor tiene esas dos actitudes tan lindas: coraje para anunciar el Evangelio y aguante para sobrellevar las dificultades que la misma predicación del Evangelio provoca. Porque evidentemente la predicación del Evangelio mueve las aguas y provoca esas actitudes que se repiten siempre a lo largo de la historia en aquellos que no quieren escuchar la palabra de Cristo, provoca el cuestionamiento del predicador, ya comenzó con Jesús, lo cuestionaban, le decían «vos echas a los demonios por poder de los demonios»; provoca el cuestionamiento del que anuncia la palabra, ya sea pastor, ya sea del pueblo, a través de los consabidos métodos de la desinformación, la difamación y la calumnia; como hicieron con Pablo: decían informaciones no exactas de él, lo difamaban y lo calumniaban y Pablo aguantó eso y las comunidades que lo seguían aguantaron con su pastor en ese diálogo tan amoroso. [17]

¿QUÉ ES LA FE?

La fe no es una idea, una filosofía o una ideología. La fe procede de un encuentro personal con Jesucristo, el Hijo de Dios hecho carne. La persona que descubre el amor de Dios en su vida no es la misma que antes.[18]

¿QUÉ ES LA ESPERANZA?

Cuando uno está en el río en una canoa y quiere acercarse a la costa y ya está muy cerca de ella, saca el ancla, la tira, y el ancla se clava en el barro de la costa, pero bien anclada, y entonces uno va tirando de la soga y la canoa se va acercando. ¡La esperanza es como eso! Es el ancla que ya tenemos allá. ¡En la esperanza estamos salvados! El asunto es que no soltemos la soga... La soga que nos une allá, a ese misterio de Dios. ¡En esperanza estamos salvados! En esperanza nos vamos a encontrar con el Padre, el Hijo y el Espíritu Santo. En esperanza vamos a gozar de las cosas de Dios...[19]

LA IGLESIA FUE, ES Y SERÁ PERSEGUIDA

La Iglesia fue, es y será perseguida. El Señor ya nos lo advirtió (cfr. Mt. 24:4-14; Mc. 13:9-13; Lc. 21:12-19) para que estuviésemos preparados. Será perseguida no precisamente en sus hijos mediocres que pactan con el mundo como lo hicieron aquellos renegados de los que nos habla el libro de los Macabeos (cfr. 1Mac. 1:11-15): ésos nunca son perseguidos; sino en los otros hijos que, en medio de la nube de tantos testigos, optan por tener los ojos fijos en Jesús (cfr. Hebr. 12: 1-2) y seguir sus pasos cualquiera sea el precio. La Iglesia será perseguida en la medida en que mantenga su fidelidad al Evangelio. El testimonio de esta fidelidad molesta al mundo, lo enfurece y le rechinan los dientes (cfr. Hech. 7:54), mata y destruye, como sucedió con Esteban. La persecución es un acontecimiento eclesial de fidelidad; a veces es frontal y directa; otras veces hay que saberla reconocer en medio de las envolturas «culturosas» con que se presenta en cada época, escondida en la mundana «racionalidad» de un cierto autodefinido «sentido común» de normalidad y civilidad. Las formas son muchas y variadas pero aquello que siempre provoca la persecución es la locura del Evangelio, el escándalo de la Cruz de Cristo, el fermento de la Bienaventuranzas. Luego, como en el caso de Jesús, de Esteban y de esa gran «nube de testigos», los métodos fueron y son los mismos: la desinformación, la difamación, la calumnia... para convencer, poner en marcha y —como toda obra del Demonio— hacer que la persecución crezca, se contagie y se justifique (parezca razonable y no precisamente persecución). [...]

En cambio la tentación para la Iglesia fue y será siempre la misma: eludir la cruz (cfr. Mt. 16:22), negociar la verdad, atenuar la fuerza redentora de la Cruz de Cristo para evitar la persecución. ¡Pobre la Iglesia tibia que rehuye y evita la cruz! No será fecunda, se «sociabilizará educadamente» en su esterilidad con ribetes de cultura aceptable. Éste es, en definitiva, el precio que se paga, y lo paga el pueblo de Dios, por avergonzarse del Evangelio, por ceder al miedo de dar testimonio.[20]

LA VERDAD NO SE LA TIENE... SE LA ENCUENTRA

¿Qué entendemos por verdad? Buscar la verdad difiere de encontrar formulaciones que pueda poseer y manejar a mi antojo. En este camino de búsqueda se empeña toda la personalidad, la existencia; es un camino que fundamentalmente entraña humildad. En el convencimiento de que uno no se basta a sí mismo y que resulta deshumanizante usar a los demás para bastarse, la búsqueda de la verdad emprende ese laborioso camino, tantas veces artesanal, del corazón humilde que no acepta saciar su sed con aguas estancadas. La «posesión» de la verdad de tipo fundamentalista carece de humildad: pretende imponerse a los demás en un gesto que, en sí mismo, es autodefensivo. La búsqueda de la verdad no aplaca la sed que despierta. La conciencia de la «sabia ignorancia» va recomenzando continuamente el camino. «Sabia ignorancia» que, con la experiencia de la vida, se volverá «docta». Podemos afirmar a esta altura sin temor que a la verdad no se la tiene, no se la posee... se la encuentra. Para poder ser aquella que anhela, la deseada, debe dejar de ser aquella que se puede poseer. La verdad se abre, se devela a quien —a su vez— se abre a ella. Verdad, precisamente, en su acepción griega, —*aletheia*— tiene que ver con lo que se manifiesta, lo que se devela, lo que se hace patente por su aparición milagrosa y gratuita. La acepción hebrea, por el contrario, con su vocablo «*emet*», une el sentido de lo verdadero con lo cierto, lo firme, lo que no engaña ni defrauda. La verdad, entonces, tiene ese doble componente, es la manifestación de la esencia de las cosas y las personas, que al abrir su intimidad nos regalan la certeza de su verdad, la confiable evidencia que nos invita a creer en ellas. Esta certidumbre es humilde, porque simplemente «deja ser» al otro en su manifestación, y no lo somete a propias exigencias o imposiciones. Esta es la primera justicia que debemos a los demás y a nosotros mismos, aceptar la verdad de lo que somos, decir la verdad de lo que pensamos. Y, además, es un acto de amor. Nada se construye sobre el silenciamiento o la negación de la verdad. Nuestra dolorosa historia política ha pretendido muchas veces este acallamiento. El uso de eufemismos verbales muchas veces nos ha anestesiado o adormecido frente a ella. Pero ya es tiempo de volver a hermanar, de religar una verdad que debe ser proféticamente proclamada con una justicia auténticamente restablecida. La justicia sólo amanece cuando se ha puesto nombre, a aquellos hechos en los cuales nos hemos engañado y traicionado en nuestro destino histórico. Y al hacerlo legamos uno de los principales servicios de responsabilidad para con las próximas generaciones.[21]

EL CRISTIANO ES UN CAMINANTE EN BUSCA DE JESÚS

A medida que uno camina, que sale de sí hacia los demás, se le abren los ojos y su corazón se re-conecta con las maravillas de Dios. No podemos hacer memoria de Jesús quedándonos instalados en nuestro propio yo, encerrados en nuestro mundito particular, en nuestros mezquinos intereses. El cristiano es peregrino, caminante, callejero. Jesús nos dijo que Él es el Camino y para permanecer en un Camino hay que caminarlo. No «se permanece» estando quieto. Pero tampoco yendo a mil, chocando y atropellando. Jesús no nos quiere ni quietos ni atropelladores, ni «dormidos sobre los laureles» ni crispados... Nos quiere mansos, con esa mansedumbre con que nos unge la «esperanza que no defrauda». Nos quiere pacíficamente laboriosos en el camino. Él nos marca el ritmo. Jesús es un Camino por el que vamos juntos, como en la procesión. Vamos despacio, sintiendo la presencia de los demás, cantando, mirando a los de adelante, mirando al cielo, rezando por los que no están... Como lo hace Jesús, que es el amor y por eso se acuerda de los que ama y está siempre intercediendo por nosotros ante el Padre.[22]

APRENDER A ESCUCHAR

Cuántos problemas se nos ahorrarían en la vida si aprendemos a escuchar, si aprendemos a escucharnos. Porque escuchar a otro es detenerme un poquito en su vida, en su corazón y no pasar de lado como si no me interesase. Y la vida nos va acostumbrando a pasar de largo, a no interesarnos en la vida del otro, en lo que el otro me quiere decir o a contestarle antes de que termine de hablar. Si en los ambientes en que vivimos aprendiéramos a escuchar... como cambiarían las cosas, como cambiarían las cosas en la familia si marido, mujer, padres, hijos, hermanos aprendieran a escucharse... pero enseguida tendemos a contestar antes de saber qué me quiere decir el otro. ¿Tenemos miedo a escuchar? Cuántas cosas cambiarían en el trabajo si nos escucháramos. Cuántas cosas cambiarían en el barrio. Cuántas cosas cambiarían en nuestra Patria si aprendiéramos como pueblo a escucharnos.

¿Qué es lo que nos impide escuchar? Es querer imponer lo que yo siento, lo que yo creo, lo que yo quiero. Es querer como... dominar a otro o prescindir del otro o, simplemente, estar tan centrado en uno mismo que no me interesa el otro, y entonces vamos como borrando al otro de mi panorama y el mundo termina en nuestra piel. No dejamos entrar a otro.

Madre, enséñanos a escuchar. Somos un pueblo que necesita aprender a escuchar y somos un pueblo que necesita ser escuchado. Madre, enséñanos a escuchar. Y ella nos enseña a escuchar. Si hoy se lo pedimos nos va a enseñar. Ella, calladita al pie de la cruz, escuchó lo mas importante de su vida: «Ahí tenés a tu hijo».... «¡Acá tenés a tus hijos»! Y de ahí en más empezó a cuidar del Pueblo de Dios. A escuchar al Pueblo de Dios. Ella guardaba todas las cosas en su corazón, las cosas que escuchaba y así nos fue juntando como pueblo, como cristianos, como hermanos. Era una maestra la Virgen, una maestra en este arte de aprender a escuchar! Que nos enseña a escuchar!. Que nos enseña a escuchar desde el corazón. Por eso Madre, hoy aquí todos juntos, te pedimos que nos ayudes a querer escuchar, primero, y después a escuchar. [23]

UNA MANERA DE VIVIR: EN LA CONSOLACIÓN ESPIRITUAL

No siempre caemos en la cuenta de que ésta ha de ser nuestra manera habitual de vivir: en consolación espiritual. Aun en los momentos de tribulación no falta, a quien está sellado y ungido por el Espíritu, la honda paz del alma, que es el primer grado de consolación. Los mártires dan testimonio de esto y el mismo Jesús se refirió a esta realidad: «Felices ustedes, cuando sean insultados y perseguidos, y cuando se los calumnie en toda forma a causa de mí» (Mt. 5, 11).[24]

LA SABIDURÍA DE LOS HUMILDES

Así es como crece y se despliega la sabiduría de nuestro pueblo, silencioso y trabajador, sin otra condición social más que la de ser humildes.

La sabiduría de los que cargan la cruz del sufrimiento, de la injusticia, de las condiciones de vida con que se enfrentan al levantarse todas las mañanas para sacrificarse por los propios.

La sabiduría de los que cargan la cruz de su enfermedad, de sus dolencias y pérdidas poniendo el hombro como Cristo.

La sabiduría de «miles de mujeres y de hombres que hacen filas para viajar y trabajar honradamente, para llevar el pan de cada día a la mesa, para ahorrar e ir de a poco comprando ladrillos y así mejorar la casa... Miles y miles de niños con sus guardapolvos desfilan por pasillos y calles en ida y vuelta de casa a la escuela, y de ésta a casa. Mientras tanto los abuelos, quienes atesoran la sabiduría popular, se reúnen a compartir y a contar anécdotas».

Pasarán las crisis y los manipuleos; el desprecio de los poderosos los arrinconarán con miseria, les ofrecerán el suicidio de la droga, el descontrol y la violencia; los tentarán con el odio del resentimiento vengativo. Pero ellos, los humildes, cualquiera sea su posición y condición social, apelarán a la sabiduría del que se siente hijo de un Dios que no es distante, que los acompaña con la Cruz y los anima con la Resurrección en esos milagros, los logros cotidianos, que los animan a disfrutar de las alegrías del compartir y celebrar.

Los que saborean esta mística, los sabios de lo pequeño, ellos son los que recurren a Aquél que los alivia, al abrazo tierno de Dios en el perdón o en la entrega solidaria de muchos que, en distintas actividades, dan de la riqueza de sí.

Porque la Palabra llena de amor, aunque sea en un gesto, libera. Libera del yugo que nos imponemos cuando nos proponemos lo imposible, nos castigamos con lo irrealizable, nos atosigamos hasta deprimirnos con nuestras ambiciones y necesidad de ser reconocidos, de resaltar, o con nuestra mendicidad de afecto: no es otra cosa el acumular poder y riqueza. La sabiduría del humilde no las necesita, sabe que él vale por sí mismo, se siente amado por su Padre y Creador, aun ante el desprecio, el abandono, la humillación. [...]

Despertar, una vez más, a la humildad; a la humildad de aceptar lo que podemos y somos, a tener la grandeza de compartir sin engaños ni apariencias; porque las ambiciones desmedidas sólo lograrán que el supuesto vencedor sea el rey de un desierto, de una tierra arrasada, o el capataz de una propiedad foránea.

Los maquillajes y vestidos del poder y la reivindicación rencorosa son cáscara de almas que llenan su vacío triste y, sobre todo, su incapacidad de brindar caminos creativos que inspiren confianza. Es el vaciamiento consecuente de lo compulsivo de la soberbia en su manifestación más torpe, que es la veleidad.[25]

Eso es lo que nos dice la Iglesia hoy. Dejar que Jesús vaya trabajando nuestro corazón para que nos reconciliemos con el Padre. Y vivir reconciliados con Dios es vivir en paz con El; vivir reconciliados con Dios es saborear la ternura paternal que El tiene; vivir reconciliados con Dios es dejarnos hacer la fiesta que se dejó hacer ese hijo que había salido de la casa de su padre para malgastar sus bienes, ese hijo que un día sintió la gracia dentro de su corazón y dijo: «Me levantaré e iré a mi padre.»

Esa es la frase que hoy, quizás, podamos decir cada uno de nosotros: Me levantaré como pueda, e iré a mi Padre. Todos los años vamos a encontrar algo para dejarnos reconciliar con Dios, por eso este año hagamos el poquito que podamos... Me levantaré e iré a mi padre. Entonces, cuando uno toma esa decisión y se deja reconciliar con Dios, por medio de Jesús que es el único que reconcilia, entonces está de fiesta, está de estreno, estrena un corazón nuevo y eso es lo que deseo para todos ustedes y me lo deseo para mí también. Que este primer día de Cuaresma nos animemos a estrenar un corazón nuevo. Que Jesús lo vaya renovando pero que digamos: Me levantaré e iré a mi Padre; estrenaré un corazón nuevo.[26]

DEL BUEN SAMARITANO
AL HIJO PRÓDIGO

PONER EL HOMBRO

El que está delante nuestro no es un competidor sino un hermano. Igual que el que está detrás. Y cuando vemos a alguno que está más pobre, menos abrigado, más necesitado, recordamos que para nuestro Padre esa persona es la más importante, la que más ha buscado, la que recibe la mejor caricia. Y así como el buen Pastor carga a la ovejita perdida sobre sus hombros, también nosotros queremos poner el hombro y hacer sentir a Dios que su pueblo está con Él. Que Él no está solo con Jesús en esta tarea de sanar heridas, de llevar de nuevo a casa a los que andan dispersos. Poner el hombro es un gesto de nuestro Padre Dios, y tenemos que imitarlo. Como cuando llevamos a nuestros santos en andas y todos quieren poner el hombro, aunque sea por un rato. Cuando uno pone el hombro —ese hombro que está cerquita del corazón, tan cerca que se siente el peso directamente— uno encuentra su lugar en la vida. Cuando le ponemos el hombro a las necesidades de nuestros hermanos, entonces experimentamos, con asombro y agradecimiento, que Otro nos lleva en hombros a nosotros. Que desde chicos nos ha llevado, que una y otra vez nos ha vuelto a cargar, con alegría, con amor, como un padre lleva a su hijito. En el fondo, si queremos definir quiénes son nuestros santos, podemos decir con toda claridad: son los que pusieron el hombro.[1]

La ternura del buen Samaritano no fue ningún sentimentalismo pasajero. Todo lo contrario; el sentir compasión hizo que el Samaritano tuviera el coraje y la fortaleza para socorrer al herido. Los flojos fueron los otros, lo que —por endurecer su corazón— pasaron de largo y no hicieron nada por su prójimo.

Esa ternura y compasión hizo que el Samaritano sintiera que era injusto dejar a un hermano así tirado. La ternura le hizo sentirse solidario con la suerte de ese pobre viajero que podría haber sido él mismo, le hizo brotar la esperanza de que todavía hubiera vida en ese cuerpo exangüe y le dio valor para ponerse a ayudarlo. Sentimiento de justicia, de solidaridad y de esperanza. Esos son los sentimientos del buen Samaritano. [...]

Acercarse. No dar rodeos ni pasar de largo. Acercarse hoy, ahora: ésa es la clave; eso es lo que nos enseña Jesús. Tenemos que acercarnos a todos nuestros hermanos, especialmente al que necesita. Cuando uno se acerca «se le enternece el corazón». Y en un corazón que no tiene miedo a sentir ternura (esa ternura que es el sentimiento que tiene el papá y la mamá con sus hijitos), el que está necesitado se convierte como en nuestro hijo, en alguien pequeño que necesita cuidado y ayuda. Entonces, el deseo de justicia, la solidaridad, la esperanza se traducen en gestos concretos. [...]

En cambio, cuando no nos acercamos, cuando miramos de lejos, las cosas no nos duelen ni nos enternecen. Hay un refrán que dice «ojos que no ven, corazón que no siente». Pero también pasa al revés, sobre todo hoy día en que lo vemos todo, pero por televisión: «Corazón que no se acerca, que no toca el dolor, corazón que no siente... y —por tanto— ojos que miran pero no ven».[2]

Conmoverse, compadecer

Porque sólo aquel que se reconoce vulnerable es capaz de una acción solidaria. Pues conmoverse *(moverse-con)*, compadecerse (*padecer-con*) de quien está caído al borde del camino, son actitudes de quien sabe reconocer en el otro su propia imagen, mezcla de tierra y tesoro, y por eso no la rechaza. Al contrario la ama, se acerca a ella y sin buscarlo, descubre que las heridas que cura en el hermano son ungüento para las propias. La compasión se convierte en comunión, en puente que acerca y estrecha lazos. Ni los salteadores ni quienes siguen de largo ante el caído, tienen conciencia de su tesoro ni de su barro. Por eso los primeros no valoran la vida del otro y se atreven a dejarlo casi muerto. Si no valoran la propia, ¿cómo podrán reconocer como un tesoro la de los demás? Los que siguen de largo a su vez, valoran su vida pero parcialmente, se atreven a mirar sólo una parte, la que ellos creen valiosa: se saben elegidos y amados por Dios (llamativamente en la parábola son dos personajes religiosos en tiempos de Jesús: un levita y un sacerdote) pero no se atreven a reconocerse arcilla, barro frágil. Por eso el caído les da miedo y no saben reconocerlo, ¿cómo podrán reconocer el barro de los demás si no aceptan el propio?[3]

CAPACES DE SER SEMEJANTES

¿Por qué el Buen Samaritano «se pone el herido al hombro» y se asegura de que reciba el cuidado, la atención que otros, más duchos en la Ley y las obligaciones, le habían negado? En el contexto del Evangelio, la parábola aparece como una explicación de la enseñanza sobre el amor a Dios y al prójimo como la dos dimensiones fundamentales e inseparables de la Ley. Y si la Ley, lejos de ser una simple obligación externa o el fruto de una «negociación» pragmática, era aquello que constituía al creyente como tal y como miembro de una comunidad, aquel vínculo fundante con Dios y con su pueblo fuera del cual el israelita no podía ni siquiera pensarse a sí mismo, entonces amar al prójimo haciéndose prójimo es lo que nos constituye en seres humanos, en personas. Reconocer al otro como prójimo no me «aporta» nada particular: me constituye esencialmente como persona humana; y entonces, es la base sobre la cual puede constituirse una comunidad humana y no una horda de fieras.

El Buen Samaritano se pone el prójimo al hombro porque sólo así puede considerarse él mismo un «prójimo», un alguien, un ser humano, un hijo de Dios. Fíjense cómo Jesús invierte el razonamiento: no se trata de reconocer al otro como semejante, sino de reconocernos a nosotros como capaces de ser semejantes.

¿Qué otra cosa es el pecado, en este contexto de las relaciones entre las personas, sino el hecho de rechazar el «ser prójimo»? De este modo, la idea de pecado se corre del contexto legalista de «no hacer ninguna de las cosas prohibidas» para ubicarse en el mismo núcleo de la libertad del hombre puesto cara a cara ante el otro. Una libertad llamada a inscribirse en el sentido divino de las cosas, de la creación, de la historia, pero también trágicamente capaz de apostarse a sí misma en algún otro posible sentido que siempre termina en sufrimiento, destrucción y muerte.

Primera pista, entonces: creer que todo hombre es mi hermano, hacerme prójimo, es condición de posibilidad de mi propia humanidad. A partir de esto, toda la tarea que me compete (y subrayo: toda la tarea) es buscar, inventar, ensayar y perfeccionar formas concretas de vivir esta verdad.[4]

ESCUCHAR PARA INTERCEDER

La parábola del juicio final es la manera que tiene Jesús de decirnos que Dios ha estado atento a toda la historia de la humanidad. Que Él ha escuchado cada vez que algún pobrecito pedía algo. Cada vez que alguien, aunque fuera con voz bajita, como la gente más humilde que pide que casi ni se la oye, cada vez que alguno de sus hijitos ha pedido ayuda, Él ha estado escuchando. Y lo que va a juzgar en nosotros los hombres es si hemos estado atentos junto con Él, si le hemos pedido permiso para escuchar con su oído, para saber bien qué les pasa a nuestros hermanos, para poder ayudarles. O si al revés, nos hemos hecho los sordos, nos hemos puesto los walkman, cosa de no escuchar a nadie. Él escucha y, cuando encuentra gente que tiene el oído atento como el suyo y que responde bien, a esa gente la bendice y le regala el Reino de los cielos. [...]

Los santos son como los oídos de Dios, uno para cada necesidad de su pueblo. Y también nosotros podemos ser santos en este sentido, ser oído de Dios en nuestra familia, en nuestro barrio, en el lugar donde nos movemos y trabajamos. Ser una persona que escucha lo que necesita la gente, pero no sólo para afligirnos o para ir a contarle a otro, sino para juntar todos estos reclamos y contárselos al Señor. Cuántos ya lo hacen trayendo los papelitos y las peticiones de sus familiares a los pies del santo. Además de la propia petición cada uno viene con la de otro que le encomendó por que no podía venir. Bueno, ésa es la escucha que San Cayetano nos enseña y que nosotros aprendemos: estar dispuestos a escuchar como escucha el santo, como escucha nuestro Padre Dios. Escuchar para así poder ayudar: intercediendo y dando una mano.[5]

NO SE AMAN CONCEPTOS, SINO PERSONAS

El que no ama no honra su deuda de persona. Quien no tiene su corazón abierto al hermano de cualquier raza, de cualquier nación, no cumple con su deber, y su vida termina siendo como un pagaré impago y es muy triste terminar la vida sin haber honrado la deuda existencial que todos tenemos como personas. El amor es algo concreto. Los conceptos no se aman, las palabras no se aman, se aman las personas.[6]

CENTINELAS DE LOS INMIGRANTES

Como centinela tenemos que avisar cuando hay peligro. Antiguamente los centinelas que estaban en las ciudades, veían cuando había un peligro de vida. Para mí hoy corre peligro el cristiano, pues todo cristiano es centinela. Y hoy como cristiano tenemos que decir ¡cuidado! Cuidado que no te quiten la vida. Que no se creen situaciones de xenofobias entre nosotros. Todos sabemos que la xenofobia así se da.

Aquí parece que nadie odia al migrante. Pero está la xenofobia sutil, la que quizás, elaborada por nuestra viveza criolla, nos lleva a preguntarnos: ¿cómo los puedo usar mejor?, ¿cómo me puedo aprovechar de ésta o de éste que no tiene documento?, que entró de contrabando, que no se sabe el idioma, o que es menor de edad y no tiene quien lo proteja.

Si somos sinceros tenemos que reconocer que entre nosotros se da esa sutil forma de xenofobia que es la explotación del migrante. No sé en otros lugares del país, no me gusta hablar de lo que no vi o sé. Pero en esta ciudad hay explotación de migrantes y de migrantes jóvenes. Más aun, hay otro escalón, hay trata de migrantes jóvenes. Chicas y chicos que son sometidos a la trata o a la esclavitud, del trabajo a presión por dos pesos. A la esclavitud de convertirlos en mulita para transportar droga, a la esclavitud de la prostitución de jóvenes, que no tienen la mayoría de edad. ¡Esto se da en esta ciudad!

Algunos me dicen: «Sí Padre. Es que también los funcionarios no hacen nada». ¿Vos que haces? Si no haces nada, ¡chíllale! Reclámales, ¿pero vos que haces? Además de reclamar como hay que reclamar. ¿Pero qué haces vos? ¿Cómo saldás la deuda del amor permitiendo que delante a tus ojos estén explotando estos tratantes de migrantes, y mas aun tratantes de jóvenes? Esto se da cerca. ¡Que no vengan con cuentos chinos! ¡Esto se da acá! Yo les confieso: cuando medito en esto, cuando lo veo, perdonen pero lloro. Lloro de impotencia. ¿Qué le pasa a mi pueblo, que tenía los brazos abiertos para recibir a tantos migrantes y ahora los va cerrando y ha engendrado en su seno delincuentes que los explota, y los somete a la trata? ¿Qué le pasa a mi pueblo? Hoy más que nunca necesitamos de centinelas, para que quitemos esto.

No solo no pagamos la deuda del amor, sino que de alguna manera los que no hacemos nada, entre comillas, somos cómplices de este delito tan, tan nefasto como es la explotación, la esclavitud, y la trata en nuestra ciudad. Somos cómplices por

nuestro silencio, por nuestro no hacer nada, por nuestro no reclamo a quienes el pueblo ha ungido como responsable para solucionar. Por nuestra apatía. [...]

Recordemos que hay explotadores explícitos e implícitos. Los
que callan y miran para otro lado, son explotadores implícitos.
Recordemos que también nosotros, todos somos migrantes porque nadie se queda aquí para siempre y sería muy triste que
cuando tenga que mostrar el pasaporte, te digan: «¡Debe la deuda de su existencia!».

Debe la deuda de ser hombre o mujer de bien. Debe la deuda
del amor. Por que delante de sus ojos tu hermano era explotado y
vos te callaste. Tu hermano era sometido a la trata y vos te callaste, tu hermano era esclavizado y ¡vos te callaste![7]

¿DÓNDE Y CON QUIÉN ESTÁ JESÚS?

Ellos salieron a buscar a Jesús y ¿dónde lo encontraron? Lo encontraron con la gente. Jesús no estaba en un lugar inaccesible,
sino metido entre la gente, bendiciendo, curando, conversando,
llamando a cada uno por su nombre... Él está con todos, pero
especialmente con los que están con los demás, como San Cayetano. Jesús está con los que son solidarios: donde hay un pesebre
—donde alguien levanta una casillita humilde para estar con su
familia— allí está Jesús; donde hay alguien acompañando al que
carga con una cruz, una persona enferma o necesitada, allí está
Jesús; donde hay alguien sirviendo a los demás, multiplicando el
pan, compartiendo el abrigo, allí está Jesús; donde están la Virgen y los Santos, que nos juntan como pueblo para rezar, allí está
Jesús. [...]

Mientras hacemos la cola recordamos los rostros de nuestros
seres queridos, mientras vamos agradeciendo y pidiendo, es bueno que le preguntemos a Jesús: ¿Sos Vos, Señor, nuestro único
Salvador o debemos esperar a otros? Lo que pasa es que vivimos
situaciones de pobreza, de falta de trabajo..., o estas enfermedades que nos afectan masivamente, la gripe, el dengue..., y que

pegan más duro por la falta de justicia. Todo esto nos lleva a que le preguntemos al Señor: «Señor, ¿estás de verdad en medio de tu pueblo? ¿Es verdad que caminás con tu pueblo? Mirá que hay gente que opina que no se puede esperar nada de nadie. Hay gente que ni siquiera se pregunta, que ya tiró la toalla». Pero es bueno hacer estas preguntas. [...]

Cuando nos animamos a mirar bien a fondo el rostro de los que sufren se produce un milagro: aparece el Rostro de Jesús. Por eso les digo: ¡No tengan miedo de mirar los ojos de los que sufren!, verán el Rostro de Jesús y Él les transmitirá su fuerza y su paz, los confortará a ustedes al mismo tiempo que ustedes confortan a los demás; pero los rostros hay que verlos de cerca, estando con los otros. «Cuanto hicieron con uno de estos mis hermanos más pequeños, conmigo lo hicieron» (Mt 25, 40)». Mirando rostros el corazón se nos llena «de los sentimientos de Jesús», como dice San Pablo. Y entonces comenzamos a buscar la justicia, el pan y el trabajo con hambre y sed de verdaderos cristianos.[8]

SACRIFICIOS HUMANOS: NO NOS HAGAMOS LOS DISTRAÍDOS

Cuando Jesús quiere explicar cuál es el Mandamiento más grande, nos dice: «mar a Dios sobre todas las cosas, con toda tu vida, todo tu corazón, toda tu existencia y al prójimo como a vos mismo». Van juntos, van muy juntos. Entonces, uno de los que lo escuchaba y que era el que le había preguntado le dice: «¿Y quién es mi prójimo?» Y Jesús cuenta ésta parábola: este hombre que en el camino lo asaltan, lo apalean, «lo dejan medio muerto» dice el Evangelio, y tirado al borde del camino... Y despúes esa historia tan lamentable al principio y tan feliz al final: pasa un sacerdote y no le da bolilla; pasa un abogado que parece que era porteño porque se dijo «no te metás» y siguió de largo; y finalmente pasa un hombre considerado muy pecador que se para, lo cura y lo atiende. Muchas veces yo les dije que en esta Ciudad pasan cosas muy raras. Hay gente a la que se la saca, se la descarta pero no sólo por que no se le da cabida sino porque se la explota de tal manera que se le quita la libertad : son esclavos.

¡En esta Ciudad hay muchos esclavos! Esto lo dije el año pasado y el anteaño y lo vuelvo a decir éste. Y hay esclavos que los fabrican estos señores que tienen en sus manos el manejo de la trata de los talleres clandestinos, el manejo de la trata de las chicas en situación de prostitución, el manejo de la trata de los cartoneros... ¡son verdaderas mafias! Que agarran a los sencillos, a los que no conocen la Ciudad, a los menores y los meten en esta picadora de carne... para muchos nuestra Ciudad es una picadora de carne que los hace bolsa porque destroza sus vidas y les quiebra la voluntad. [...]

Y cuando leemos las historias de civilizaciones antiguas que en cultos paganos se hacían sacrificios humanos, se mataba a la gente y a los chicos, nos horrorizamos... En esta Ciudad se hacen sacrificios humanos, se mata la dignidad de estos hombres y mujeres, de estos chicos y chicas sometidos a la trata, a la esclavitud. No podemos quedarnos tranquilos. Esta Ciudad está llena de hombres y mujeres, de chicos y chicas apaleados al borde del camino, apaleados por esta organización u organizaciones que los van corrompiendo, quitando la voluntad, destrozando incluso con la droga, y después los dejan tirados al borde del camino.

Por eso digo que esta Ciudad es una fábrica de esclavos y picadora de carne; por eso digo que en esta Ciudad se ofrecen sacrificios humanos en honor del bienestar de pocos que nunca dan la cara y que siempre salvan el pellejo... quizá por esa receta tan porteña y tan nuestra que se llama la «coima». A fin del año pasado califiqué a la Ciudad como «coimera» porque si no existiera ésta no se podrían encubrir estas mafias que sacrifican vidas humanas y que someten a la esclavitud, quitándoles la voluntad a sus hombres, sacrificando a sus hijos...

¡Hoy vinimos acá a pedir a Dios compasión de sus hijos y a pedir por nosotros para que no nos hagamos los distraídos! ¡Somos campeones en mirar para otro lado y dar un rodeo cuando no nos conviene! *¡No te metás!* No nos hagamos los distraídos y señalemos donde están los focos de sometimiento, de esclavitud, de corrupción, donde están las picadoras de carne, los altares donde se ofrecen esos sacrificios humanos y se les quiebra la voluntad a las personas.[9]

«PROJIMIDAD»

La «projimidad» es el ámbito necesario para que pueda anunciarse la Palabra, la justicia, el amor, de modo tal que encuentre una respuesta de fe. Encuentro, conversión, comunión, y solidaridad son categorías que explicitan la «projimidad» como criterio evangélico concreto que se opone a las pautas de una ética abstracta o meramente espiritual. «La projimidad» es tan perfecta entre el Padre y el Hijo que de ella procede el Espíritu.

Es al Espíritu a quien pedimos despierte en nosotros esa particular sensibilidad que nos hace descubrir a Jesús en la carne de nuestros hermanos más pobres, más necesitados, más injustamente tratados porque, cuando nos aproximamos a la carne sufriente de Cristo, cuando nos hacemos cargo de ella, recién entonces puede brillar en nuestros corazones la esperanza, esa esperanza que nuestro mundo desencantado nos pide a los cristianos.

No queremos ser esa Iglesia temerosa que está encerrada en el cenáculo, queremos ser la Iglesia solidaria que se anima a bajar de Jerusalén a Jericó, sin dar rodeos; la Iglesia que se anima a acercarse a los más pobres, a curarlos y a recibirlos. No queremos ser esa Iglesia desilusionada, que abandona la unidad de los apóstoles y se vuelve a su Emaús, queremos ser la Iglesia convertida que, después de recibir y reconocer a Jesús como compañero de camino de cada uno, emprende el retorno al cenáculo, vuelve llena de alegría a la cercanía con Pedro, acepta integrar con los otros la propia experiencia de projimidad y persevera en la comunión.[10]

LA ALEGRÍA DEL PERDÓN

La salvación que trae Jesús consiste en el perdón de los pecados, pero no es un perdón acotado hasta ahí nomás; va más allá: se trata de la alegría del perdón, porque «habrá más alegría en el cielo por un solo pecador que se convierta que por noventa y nueve justos que no tengan necesidad de conversión» (Lc 15, 7). El perdón no termina en el olvido ni en la reparación sino en el derroche de amor de la fiesta que el Padre Misericordioso hace para recibir a su hijo que regresa.[11]

¿CREER EN DIOS Y «NO VER» AL HERMANO?

Se puede decir que la mirada de fe nos lleva a salir cada día y siempre más al encuentro del prójimo que habita en la ciudad. Nos lleva a salir al encuentro porque esta mirada se alimenta en la cercanía. No tolera la distancia, pues siente que la distancia desdibuja lo que desea ver; y la fe quiere ver para servir y amar, no para constatar o dominar. Al salir a la calle la fe limita la avidez de la mirada dominadora y cada prójimo concreto al que mira con deseos de servir le ayuda a focalizar mejor a su «objeto propio y amado», que es Jesucristo venido en carne. El que dice que cree en Dios y «no ve» a su hermano, se engaña. [...]

El creyente que mira con la luz de la esperanza combate la tentación de no mirar que se da o por vivir amurallado en los bastiones de la propia nostalgia o por la sed de curiosear. La suya no es la mirada ávida del «a ver qué pasó hoy» de los noticieros. La mirada esperanzada es como la del Padre misericordioso que sale todas las mañanas y las tardes a la terraza de su casa a ver si regresa su hijo pródigo y apenas lo ve de lejos, corre a su encuentro y lo abraza. En este sentido, la mirada de fe, a la vez que se alimenta de cercanía y no tolera la distancia, tampoco se sacia con lo momentáneo y coyuntural y por eso, para ver bien, se involucra en los procesos que son propios de todo lo vital. La mirada de fe, al involucrarse, actúa como fermento. Y, como los procesos vitales requieren tiempo, acompaña. Nos salva así de la tentación de vivir en ese tiempo «puntillar» propio de la post-modernidad.

Si partimos de la constatación de que la anticiudad crece con la no mirada, que la mayor exclusión consiste en ni siquiera «ver» al excluido —el que duerme en la calle no se ve como persona sino como parte de la suciedad y abandono del paisaje urbano, de la cultura del descarte, del «volquete»— la ciudad humana crece con la mirada que «ve» al otro como conciudadano. En este sentido la mirada de fe es fermento para una mirada ciudadana. Por eso podemos hablar de un «servicio de la fe»: de un servicio existencial, testimonial, pastoral.

¿Estoy diciendo que la fe, por sí sola, mejora la ciudad? Sí, en el sentido de que sólo la fe nos libera de las generalizaciones y abstracciones de una mirada ilustrada que sólo da como frutos más ilustraciones. La cercanía, el «involucramiento» y el sentir cómo el fermento hace crecer la masa, llevan a la fe a desear mejorar lo suyo propio, lo específico cristiano: para poder ver *indivise et inconfuse* al otro, al prójimo, la fe desea «ver a Jesús». Es una mirada que, para incluir, se limita y se clarifica a sí misma.[12]

ACOMPAÑAR LA VIDA DEL OTRO

Uno no puede tomar una actitud selectiva frente a la vida que se nos acerca, como la tenían estos publicanos y pecadores que murmuraban contra Jesús; los criticones... «porque come con los pecadores, recibe a los pecadores». Jesús recibía la vida cómo venía, no con envase de lujo.

La vida es ésta y yo la recibo, decía Jesús. Como en el fútbol: los penales tenés que atajarlos donde te los tiran, no podés elegir dónde te los van a patear. La vida viene así y la tenés que recibir así aunque no te guste.

Ese padre que había dado vida a ese hijo, ese padre que lo había visto crecer, que había amasado una gran fortuna para dejarles; un día frente a un capricho, a un desvío de este hijo, deja que el hijo protagonice. Ya le había dado los consejos, no le hizo caso; y destruye sus posesiones para dividirlas y dársela a este hijo. Él sabía que la iba a malgastar pero la vida vino así. Seguramente le habló y lo aconsejó pero dejó. Y el hijo se fue.

Y el padre, dice el Evangelio, lo vió venir de lejos. Lo vio venir de lejos porque subía a cada rato a la terraza, lo estaba esperando. Al hijo sinvergüenza, ladrón, que le costó bien caro y que moralmente estaba arrastrado por el barro. El protagonismo del padre fue esperar la vida como viniera... derrotada, sucia, pecadora, destruida ... como viniera. Él tenía que esperar esa vida y acogerla en ese abrazo.

A veces nos defendemos poniendo distancias de exquisitez como los escribas y los fariseos: «Hasta que no esté purificada la vida no la recibo». Y se lavaban mil veces las manos antes de comer y oras abluciones... pero Jesús se los echa en cara porque su corazón estaba lejos de lo que Dios quería. Ese Dios que manda a su hijo que se mezcle con nosotros, con lo peorcito de nosotros.

Esos eran los amigos de Jesús: lo peorcito. Pero la vida la tomaba como venía. Dejaba que cada hombre y cada mujer protagonizara su vida y Él la acompañaba con cariño, con ternura, con doctrina, con consejos. No la imponía.

La vida no se impone, la vida se siembra y se riega, no se impone. Cada uno es protagonista de la suya. Y eso Dios lo respeta. Acompañemos la vida como Dios lo hace.

Ese padre que lo vio venir y se conmovió profundamente; que tiene capacidad de conmoverse frente a ese despojo humano que era su hijo: un linyera existencial hecho jirones el alma y el cuerpo, con hambre. En el fondo se podía preguntar «este atorrante que se fue con toda la plata, que la malgastó y ahora viene; viene porque tiene hambre?... ¡No! que lo atienda el mayordomo, que haga penitencia y después veré si le doy audiencia»... podría haber hecho eso. El padre no acompaña la vida así sino que se conmueve y sale corriendo a abrazarlo. Y cuando el hijo le quiere pedir perdón le tapa la boca con su abrazo.

Acompañar la vida con corazón de padre y de hermano. «No

sé lo que hiciste, no sé cómo remataste tu vida pero sé que sos mi hermano y te tengo que dar el mensaje de Jesús».

El otro hijo reedita la postura de los criticones, los escribas y fariseos, «yo soy puro, yo estuve siempre en la Iglesia, soy de la Acción Católica, de Caritas o de catequesis...te doy gracias, Señor, porque no soy como toda esta gente, no soy como esta gentuza». Y el hijo cierra su corazón y prefiere protagonizar un purismo hipócrita a dejarse conmover por la ternura que le enseñó su Padre. No sabe acompañar la vida. Probablemente este hombre lo más que pueda dar es una vida biológica pero nunca una vida desde el corazón.

Y se armó la fiesta. La vida y el encuentro es fiesta. Acompañar la vida es animarme a encontrar al otro como está, como viene o como lo voy a buscar. Es encuentro y ese encuentro es festivo. Ya lo dijo Jesús: va a haber mucha fiesta por cada uno de estos que ustedes dejan de lado y se acerca y vuelve a la casa... encontrarse.[13]

SEPULCROS BLANQUEADOS

CARICATURA DE TRASCENDENCIA

Con mayor frecuencia de la que quisiéramos, los cristianos hemos transformado las virtudes teologales en un pretexto para quedarnos cómodamente instalados en una pobre caricatura de trascendencia, desentendiéndonos de la dura tarea de construir el mundo donde vivimos y donde se juega nuestra salvación. Es que la fe, la esperanza y la caridad constituyen, por definición, actitudes fundamentales que operan un salto, un éxtasis del hombre hacia Dios. Nos trascienden, en verdad. Nos hacen trascender y trascendernos. Y en su referencia a Dios, presentan una pureza, un resplandor de verdad tal que puede encandilarnos. Ese deslumbramiento de lo contemplado, puede hacernos olvidar que esas mismas virtudes se apoyan en todo un basamento de realidades humanas, porque es humano el sujeto que así encuentra su camino hacia lo divino.[1]

ÉLITES ILUSTRADAS

Uno de los problemas más serios que tiene la Iglesia y que hipoteca muchas veces su tarea evangelizadora radica en que los agentes pastorales, los que solemos estar más con las «cosas de Dios», los que estamos más insertos en el mundo eclesiástico, frecuentemente nos olvidamos de ser buenos cristianos. Comienza entonces la tentación de absolutizar las espiritualidades en genitivo: la espiritualidad del laico, del catequista, del sacerdote..., con el grave peligro de perder su originalidad y simpleza evangélica. Y una vez perdido el horizonte común cristiano, corremos la tentación de lo *snob*, de lo afectado, de aquello que entretiene y engorda pero no alimenta ni ayuda a crecer. Las partes se convierten en particularidades y, al privilegiar las particularidades fácilmente nos olvidamos del todo, de que formamos un mismo pueblo. Entonces comienzan los movimientos centrífugos que nada tienen de misionero sino todo lo contrario: nos dispersan, nos distraen y paradójicamente nos enredan en nuestras internas y «quintismos» pastorales. No olvidemos: el todo es superior a la parte.

Me parece importante insistir en esto porque una tentación sutil del Maligno es hacernos olvidar nuestra pertenencia común que tiene como fuente el Bautismo. Y cuando perdemos la identidad de hijos, hermanos y miembros del Pueblo de Dios, nos entretenemos en cultivar una «pseudo-espiritualidad» artificial, elitista... Dejamos de transitar por los frescos pastos verdes para quedar acorralados en los sofismas paralizantes de un «cristianismo de probeta». Ya no somos cristianos sino «élites ilustradas» con ideas cristianas.[2]

DOS PAUTAS DEL FARISEÍSMO

Dos momentos y una manera de escuchar a Jesús y de pensar lo que dice Jesús, de juzgar a Jesús, que entrañan dos pautas del fariseísmo: la hipocresía y la suficiencia.

En otro texto paralelo de éste, cuando ellos no hablaron al preguntarle si era lícito curar el sábado, se dice que Jesús los miró con indignación (en el Evangelio de Marcos) y dolorido por la dureza de su corazón. El Dios justo siente la indignación de esa dureza y, a la vez, el Dios Redentor, el Dios tierno, sufre por la dureza del corazón.

Detrás de un pensamiento hipócrita hay un corazón enfermo, hay un corazón esclerótico, un corazón duro que no deja que el Espíritu entre, que no deja que las pautas de la Verdad vayan entrando e inspirando su modo de pensar.

Es el tan repetido drama de la conciencia aislada. Yo me aíslo en lo mío, yo no escucho a la Verdad que se me manifiesta, no le abro mi corazón a la Verdad... hay un corazón enfermo. Y cuando hay un corazón enfermo que se resiste a la Verdad, lo que sucede Pablo nos lo dice en el primer capítulo de la Carta a los Romanos: «Dios los abandona a sus pasiones». [...]

Es el drama de las elites ilustradas, de laboratorio. Quizá, tengan buena voluntad, pero se aíslan de ese pueblo al que Dios se quiso revelar, al que quiso acompañar en ese caminar cotidiano de la redención de Dios. En cambio, los otros, los que lo apretujaban a Jesús, los sencillos, los de corazón de niño, ésos no recurren ni a la hipocresía ni a la suficiencia, sino que rebozan de alabanza. Y dan gracias a Dios por ser curados; dan gracias a Dios porque vino un profeta a su tierra; dan gracias a Dios porque éste habla con autoridad y no como los que vinieron antes; dan gracias a Dios porque me curó, me tocó... Corazón de niño, corazón abierto a la revelación de Dios. Ése es el corazón inteligente. El corazón que sustenta la inteligencia grande. La inteligencia abierta. La inteligencia humilde, pero a la vez fuerte y poderosa, nada del pensamiento débil de la hipocresía o de la suficiencia. [...]

A ese Jesús yo le pido que en estas jornadas de reflexión, a todos los que participamos, nos dé un corazón de niño. Corazón sencillo, un corazón dependiente de su gracia, un corazón abierto, que nos salve del drama de la conciencia aislada, que nos salve de toda hipocresía y de toda suficiencia.[3]

AYUNAR SIN INDIFERENCIA

Hay algunos paisajes a los que nos terminamos acostumbrando de tanto verlos. El gran riesgo del acostumbramiento es la indiferencia: ya nada nos causa asombro, nos estremece, nos alegra, nos golpea, nos cuestiona. Algo así puede pasarnos con el triste paisaje que asoma cada vez con más fuerza en nuestras calles. Nos acostumbramos a ver hombre y mujeres de toda edad pidiendo o revolviendo la basura, a muchos ancianos durmiendo en las esquinas o en los umbrales de los negocios, a muchos chicos durante el invierno acostados sobre las rejillas de los tragaluces de los subtes para que les suba algo de calor. Con el acostumbramiento viene la indiferencia: no nos interesan sus vidas, sus historias, sus necesidades ni su futuro. Cuántas veces sus miradas reclamadoras nos hicieron bajar las nuestras para poder seguir de largo. Sin embargo es el paisaje que nos rodea y nosotros, queramos verlo o no, formamos parte de él.

A este corazón acostumbrado viene a despertarlo y rescatarlo del mal de la indiferencia «la trompeta que invita a hacer sonar el profeta» con la que se inicia este tiempo de cuaresma. Y a palabra del Dios que ama con desmesura a todos sus hijos nos dice con ternura «Vuelve a mí de todo tu corazón». Ese es el deseo de Dios: que nosotros, que a veces nos encontramos y vivimos lejos de él, volvamos no por obligación, no de mala gana, no por miedo...sino de «todo corazón».

Es lo esencial de este tiempo que iniciamos: aceptar la invitación a entrar más y más en la intimidad del Señor. Es una palabra de amor a nosotros, hombres que tenemos la tendencia de poner siempre el acento en los «cumplimientos». Por eso Dios continúa diciéndonos: «Desgarren sus corazones, y no sus vestidos». Nuestros gestos, nuestras mortificaciones, nuestros sacrificios, sólo tienen valor si proceden del corazón, si expresan un amor.

Uno de los pilares de nuestro camino de preparación cuaresmal es el ayuno; pero éste debe partir del amor y llevarnos a un amor más grande. El ayuno que Dios quiere sigue siendo «partir nuestro pan con el hambriento, albergar al pobre sin abrigo, vestir al desnudo y no dar la espalda al hermano».

Ayunar desde la solidaridad. Hoy sólo se puede ayunar trabajando para que otros no ayunen. Hoy sólo se puede celebrar el ayuno asumiendo el dolor y la impotencia de millones de hambrientos.

Quien no ayuna por el pobre engaña a Dios. Ayunar es amar. Nuestro ayuno voluntario debe ayudar a impedir los ayunos obligados de los pobres. Ayunemos para que nadie tenga que ayunar.[4]

EL GRAN RIESGO DEL ACOSTUMBRAMIENTO

Una de las cosas más desgastantes que nos puede suceder es caer en las garras del acostumbramiento. Tanto a lo bueno como a lo malo. Cuando el esposo o la esposa se acostumbra al cariño y a la familia, entonces se deja de valorar, de dar gracias y de cuidar delicadamente lo que se tiene. Cuando nos acostumbramos al regalo de la fe, la vida cristiana se hace rutina, repetición, no da sentido a la vida, deja de ser fermento. El acostumbramiento es un freno, un callo que aprisiona al corazón, vamos «tirando» y perdemos la capacidad de «mirar bien» y dar respuesta.

¡Estamos en riesgo! Como sociedad poco a poco nos hemos acostumbrado a oír y a ver, a través de los medios de comunicación, la crónica negra de cada día; y lo que aún es peor, también nos acostumbramos a tocarla y a sentirla a nuestro alrededor sin que nos produzca nada o, a lo sumo, un comentario superficial y descomprometido. La llaga está en la calle, en el barrio, en nuestra casa, sin embargo, como ciegos y sordos convivimos con la violencia que mata, destruye familias y barrios, aviva guerras y conflictos en tantos lugares, y la miramos como una película más. El sufrimiento de tantos inocentes y pacíficos dejó de cachetearnos, el desprecio a los derechos de las personas y de los pueblos, la pobreza y la miseria, el imperio de la corrupción, de la droga asesina, de la prostitución obligada e infantil pasaron a ser moneda corriente, y pagamos sin pedir recibo aunque tarde o temprano se nos va a pasar la factura. [...]

El *acostumbramiento* nos dice seductoramente que no tiene sentido tratar de cambiar algo, que no podemos hacer nada frente a esta situación, que siempre ha sido así y que sin embargo sobrevivimos. Por el acostumbramiento, dejamos de resistirnos permitiendo que las cosas «sean lo que son», o lo que algunos han decidido que «sean». [...]

Cuando miramos con hondura y no nos damos respuestas prearmadas, la vida de nuestros hermanos con sus angustias y esperanzas nos va descolocando y nos pone en un lugar distinto no exento de riesgos. Pero sólo así, ahí, cuando su sufrimiento nos toque hiriéndonos y el sentimiento de impotencia se haga más profundo y nos duela, encontraremos nuestro camino real hacia la pascua.[5]

SOBRE EL PELIGRO DEL «CLERICALISMO»

Los curas tendemos a clericalizar a los laicos. Y los laicos —no todos pero muchos— nos piden de rodillas que los clericalicemos porque es más cómodo ser monaguillo que protagonista de un camino laical. No tenemos que entrar en esa trampa, es una complicidad pecadora. [...]

El laico es laico y tiene que vivir como laico con la fuerza del bautismo [...] llevando su cruz cotidiana como la llevamos todos. Y la cruz del laico, no la del cura. La del cura que la lleve el cura que bastante hombro le dio Dios para eso.[6]

LOS QUE CLERICALIZAN LA IGLESIA

Los que se escandalizaban cuando Jesús iba a comer con los pecadores, con los publicanos, a éstos Jesús les dice: «Los publicanos y las prostitutas los van a preceder a ustedes»... que era lo peorcito de la época. Jesús no los banca. Son los que han clericalizado —por usar una palabra que se entienda— a la Iglesia del Señor. La llenan de preceptos y con dolor lo digo, y si parece una denuncia o una ofensa, perdónenme, pero en nuestra región eclesiástica hay presbíteros que no bautizan a los chicos de las madres solteras porque no fueron concebidos en la santidad del matrimonio.

Éstos son los hipócritas de hoy. Los que clericalizaron a la Iglesia. Los que apartan al pueblo de Dios de la salvación. Y esa pobre chica que, pudiendo haber mandado a su hijo al remitente, tuvo la valentía de traerlo al mundo, va peregrinando de parroquia en parroquia para que se lo bauticen.

A éstos que buscan prosélitos, los clericales, los que clericalizan el mensaje, Jesús les señala el corazón, les dice «del corazón de ustedes salen las malas intenciones, las fornicaciones, los robos, los homicidios, los adulterios, la avaricia, la maldad, los engaños, las deshonestidades, la envidia, la difamación, el orgullo, el desatino...». Flor de piropo, ¿eh? Así les pasa la mano de bleque. Los denuncia.

Clericalizar la Iglesia es hipocresía farisaica. La Iglesia del «vengan adentro que les vamos a dar las pautas acá adentro y lo que no entra no está» es fariseísmo.

Jesús nos enseña el otro camino: salir. Salir a dar testimonio, salir a interesarse por el hermano, salir a compartir, salir a preguntar. Encarnarse.

Contra el gnosticismo hipócrita de los fariseos, Jesús vuelve a mostrarse en medio de la gente entre publicanos y pecadores.

La tercera palabra que me tocó es el final de la carta de Santiago: no contaminarse con el mundo. Porque si bien el fariseísmo, este «clericalismo» entre comillas nos hace daño, también la mundanidad es uno de los males que carcomen nuestra conciencia cristiana. Esto lo dice Santiago: no se contaminen con el mundo. Jesús en su despedida, después de la cena, le pide al Padre que lo salve del espíritu del mundo. Es la mundanidad espiritual. El peor daño que puede pasar a la Iglesia: caer en la mundanidad espiritual. En esto estoy citando al cardenal De Lubac. El peor daño que puede pasar a la Iglesia incluso peor que el de los papas libertinos de una época. Esa mundanidad espiritual de hacer lo que queda bien, de ser como los demás, de esa burguesía del espíritu, de los horarios, de pasarla bien, del estatus: «Soy cristiano, soy consagrado, consagrada, soy clérigo». No se contaminen con el mundo, dice Santiago.

No a la hipocresía. No al clericalismo hipócrita. No a la mundanidad espiritual.

Porque esto es demostrar que uno es más empresario que hombre o mujer de evangelio.

Sí a la cercanía. A caminar con el pueblo de Dios. A tener ternura especialmente con los pecadores, con los que están más alejados, y saber que Dios vive en medio de ellos.

Que Dios nos conceda esta gracia de la cercanía, que nos salva de toda actitud empresarial, mundana, proselitista, clericalista, y nos aproxima al camino de Él: caminar con el santo pueblo fiel de Dios.[7]

UNA CULTURA DEL VÍNCULO

RESCOLDO DEL CORAZÓN

La sociedad política solamente perdura si se plantea como una vocación a satisfacer las necesidades humanas en común. Es el lugar del ciudadano. Ser ciudadano es sentirse citado, convocado a un bien, a una finalidad con sentido... y acudir a la cita. Si apostamos a una Argentina donde no estén todos sentados en la mesa, donde solamente unos pocos se benefician y el tejido social se destruye, donde las brechas se agrandan siendo que el sacrificio es de todos, entonces terminaremos siendo una sociedad camino al enfrentamiento. [...]

Hoy, en medio de los conflictos, este pueblo nos enseña que no hay que hacerle caso a aquellos que pretenden destilar la realidad en ideas, que no nos sirven los intelectuales sin talento, ni los eticistas sin bondad, sino que hay que apelar a lo hondo de nuestra dignidad como pueblo, apelar a nuestra sabiduría, apelar a nuestras reservas culturales. Es una verdadera revolución, no contra un sistema, sino interior; una revolución de memoria y ternura : memoria de las grandes gestas fundantes, heroicas... y memoria de los gestos sencillos que hemos mamado en familia. Ser fieles a nuestra misión es cuidar este "rescoldo" del corazón, cuidarlo de las cenizas tramposas del olvido o de la presunción de creer que nuestra Patria y nuestra familia no tienen historia o la han comenzado con nosotros. Rescoldo de memoria que condensa, como la brasa al fuego, los valores que nos hacen grandes : el modo de celebrar y defender la vida, de aceptar la muerte, de cuidar la fragilidad de nuestros hermanos más pobres, de abrir las manos solidariamente ante el dolor y la pobreza, de hacer fiesta y de rezar; la ilusión de trabajar juntos y —de nuestras comunes pobrezas— amasar solidaridad.[1]

NUEVOS VÍNCULOS

¡Refundar con esperanza nuestros vínculos sociales!: esto no es un frío postulado eticista y racionalista. No se trata de una nueva utopía irrealizable ni mucho menos de un pragmatismo desafectado y expoliador. Es la necesidad imperiosa de convivir para construir juntos el bien común posible, el de una comunidad que resigna intereses particulares para poder compartir con justicia sus bienes, sus intereses, su vida social en paz. Tampoco se trata solamente de una gestión administrativa o técnica, de un plan, sino que es la convicción constante que se expresa en gestos, en el acercamiento personal, en un sello distintivo, donde se exprese esta voluntad de cambiar nuestra manera de vincularnos amasando, en esperanza, una nueva cultura del encuentro, de la projimidad; donde el privilegio no sea ya un poder inexpugnable e irreductible, donde la explotación y el abuso no sean más una manera habitual de sobrevivir. En esta línea de fomentar un acercamiento, una cultura de esperanza que cree nuevos vínculos, los invito a ganar voluntades, a serenar y convencer. [...]

Pero hasta no reconocer nuestras dobles intenciones no habrá confianza ni paz. Hasta que no se efectivice nuestra conversión no tendremos alegría y gozo. Porque la ambición desmedida, ya sea de poder, de dinero o de popularidad, sólo expresa un gran vacío interior. Quienes están vacíos no trasmiten paz, gozo y esperanza sino sospecha. No crean vínculos. [...]

Creemos que estas iniciativas comunitarias son los signos esperanzadores de una alegría participativa. Aquí se gesta una verdadera revolución interior y —a la vez— transformación social que escapa a las «macromanipulaciones» de los sistemas y estructuras extraños al ser genuino del pueblo. Estas iniciativas brindan una inmejorable salida frente al suicidio social que provoca toda filosofía y técnica que expulsa la mano de obra, que margina la ternura del afecto familiar, que negocia los valores propios de la dignidad del hombre. Sólo hace falta la audaz y esperanzadora iniciativa de ceder terreno, de renunciar al protagonismo fútil; la iniciativa de dejar las luchas intestinas desgastantes, el plus de insaciabilidad de poder.[2]

LAS CERTEZAS BÁSICAS

Los tres puntos que, a mi juicio, caracterizan la actual situación de orfandad del hombre y la mujer de nuestra ciudad: la experiencia de discontinuidad, el desarraigo y la caída de las certezas básicas. [...]

La ciudad va perdiendo su capacidad de identificar a los grupos humanos, poblándose, como señalaba hace ya unos años un antropólogo francés, de «no-lugares», espacios vacíos sometidos exclusivamente a lógicas instrumentales (funcionalidad, marketing) y privados de símbolos y referencias que aporten a la constitución de identidades comunitarias.

Y así, el desarraigo «espacial» va de la mano con las otras dos formas de desarraigo: el existencial y el espiritual. El primero se vincula a la ausencia de proyectos, quizás a la experiencia de «crecer entre las cenizas». Al no haber continuidad ni lugares con historia y sentido (quiebre del tiempo y del espacio como posibilidad de constitución de la identidad y de conformación de un proyecto personal), se debilitan el sentimiento de pertenencia a una historia y el vínculo con un futuro posible, un futuro que me interpele y dinamice el presente. Esto afecta radicalmente a la identidad, porque fundamentalmente «identificarse es pertenecer». No es ajena a esto la inseguridad económica: ¿cómo arraigarse en el suelo existencial de un proyecto personal si está vedada una mínima previsión de estabilidad laboral?

Y todavía esto tiene una cara más. Tanto el desdibujarse de las referencias espaciales como la ruptura de la continuidad entre el pasado, el presente y el futuro van vaciando también la vida del habitante de la ciudad de determinadas referencias simbólicas, de aquellas «ventanas», verdaderos horizontes de sentido, hacia lo trascendente que se abrían aquí y allá, en la ciudad y en la acción humana. Esta apertura a lo trascendente se daba, en las culturas tradicionales, mediada por una representación de la realidad más bien estática y jerárquica, y esto se expresaba en multitud de imágenes y símbolos presentes en la ciudad (desde el trazado mismo hasta los lugares impregnados de historia o aún de sacralidad). En cambio, en el talante moderno esa trascendencia tenía que ver con un «hacia adelante», constituyendo el nervio de la historia como proceso de emancipación y mediándose en la acción humana —acción transformadora, en el sentido moderno—, lo cual encontraba su expresión simbólica en el arte, en el fortalecimiento de algunas dimensiones festivas, en las organizaciones libres y espontáneas y en la imagen del «pueblo en la calle». Pero ahora, cada vez más acotados o vaciados de sentido los espacios que hasta hace poco funcionaban como disparadores, como símbolos de la trascendencia, el desarraigo alcanza también una dimensión espiritual. [...]

En una sociedad que va perdiendo su dimensión comunitaria, su cohesión como pueblo, tales expresiones religiosas masivas necesitan cada vez más su correlato comunitario, para no quedarse en meros gestos individuales. Sin dejar de reconocer la dimensión de Pueblo de Dios presente y operante en la expresividad religiosa popular, necesitamos realimentar esa fe auténtica y aportar elementos que le permitan desplegar todo su potencial humanizante. Es decir, reconocer en ella un clamor por una verdadera liberación que haga posible a nuestro pueblo superar su situación de orfandad, desde las reservas mismas que lleva dentro de sí las que se arraigan en la gracia de su bautismo, en la memoria de su pertenencia a la Santa Madre Iglesia.[3]

CUIDARNOS MUTUAMENTE

Crear esa civilización de cuidarnos mutuamente, de no dejar que la indiferencia por el problema del que tengo al lado o de los que tengo a mi cuidado me cope, me paralice o me haga estéril.

Cuidar a otro es un gran poder también, no sólo es obligación, no sólo es acogida, sino que es un poder, y es un poder que no se puede delegar. [...]

Esta es una responsabilidad social que consolida corazones, que hace crecer a nuestros niños y a nuestros jóvenes y aun a nuestro pueblo, que lo hace solidario. Es cuidar y hacerse cargo, animarse a tener ternura. Hoy le pido a Dios que a todos ustedes, y a mi también, nos conceda la gracia de aprender todos los días a tener ternura, porque así nos haremos cargo mejor los unos de los otros y fomentaremos ese cuidarnos cálidamente como hermanos.[4]

«AMAR HASTA QUE DUELA»

El servicio no es un mero compromiso ético, ni un voluntariado del ocio sobrante, ni un postulado utópico... Puesto que nuestra vida es un don, servir es ser fieles a lo que somos: se trata de esa íntima capacidad de dar lo que se es, de amar hasta el extremo de los propios límites... o, como nos enseñaba con su ejemplo la Madre Teresa, servir es «amar hasta que duela». Las palabras del Evangelio no van dirigidas sólo al creyente y al practicante. Alcanzan a toda autoridad tanto eclesial como política, ya que sacan a la luz el verdadero sentido del poder. Se trata de una revolución basada en el nuevo vínculo social del servicio. El poder es servicio. El poder sólo tiene sentido si está al servicio del bien común. Para el gozo egoísta de la vida no es necesario tener mucho poder. A esta luz comprendemos que una sociedad auténticamente humana, y por tanto también política, no lo será desde el minimalismo que afirma «convivir para sobrevivir» ni tampoco desde un mero «consenso de intereses diversos» con fines economicistas. Aunque todo esté contemplado y tenga su lugar en la siempre ambigua realidad de los hombres, la sociedad será auténtica sólo desde lo alto..., desde lo mejor de sí, desde la entrega desinteresada de los unos por los otros. Cuando emprendemos el camino del servicio renace en nosotros la confianza, se enciende el deseo de heroísmo, se descubre la propia grandeza. [...]

Desde lo profundo de nuestras reservas, en las vivencias de fe comunitaria de nuestra historia y sin dejar de verse afectada por nuestras miserias, deben volver a nuestra memoria tantas formas culturales de religiosidad y arte, de organizaciones comunitarias y de logros individuales o grupales. Porque en el rescate de nuestras reservas, de nuestro buen ser heredado, está la piedra de arranque del futuro.

Así como no podemos prometer amor hacia adelante sin haberlo recibido, no podemos tampoco sentirnos confiados en ser argentinos si no rescatamos los bienes del pasado.[5]

EL DOMINGO Y EL PEREGRINAR DE LA SEMANA

En el mundo actual, muchas veces enfermo de secularismo y consumismo, parece que se va perdiendo la capacidad de celebrar, de vivir como familia. Por eso, el catequista, está llamado a comprometer su vida para que no se nos robe el Domingo, ayudando a que en el corazón del hombre no se acabe la fiesta y cobre sentido y plenitud su peregrinar de la semana.[6]

LA CORRUPCIÓN, ENEMIGA DEL VÍNCULO

Si los gestos de solidaridad y amor desinteresado siempre fueron una especie de profecía, un signo poderoso de la posibilidad de otra historia, hoy su carga de propuesta es infinitamente mayor. Marcan una huella transitable en medio del pantano, una dirección justa en el instante de extravío. Contrariamente, la mentira y el robo (ingredientes principales de la corrupción) siempre son males que destruyen la comunidad. La sola práctica de la corrupción puede desbarrancar definitivamente esta frágil construcción que, como pueblo, queremos intentar.[7]

LA PATRIA, COMUNIDAD CONCRETA

Si cortamos la relación con el pasado, lo mismo haremos con el futuro. Ya podemos empezar a mirar a nuestro alrededor... y a nuestro interior. ¿No hubo una negación del futuro, una absoluta falta de responsabilidad por las generaciones siguientes, en la ligereza con que se trataron las instituciones, los bienes y hasta las personas de nuestro país? Lo cierto es esto: Somos personas históricas. Vivimos en el tiempo y el espacio. Cada generación necesita de las anteriores y se debe a las que la siguen. Y eso, en gran medida, es ser una Nación: entenderse como continuadores de la tarea de otros hombres y mujeres que ya dieron lo suyo, y como constructores de un ámbito común, de una casa, para los que vendrán después. [...]

Ante la crisis vuelve a ser necesario respondernos a la pregunta de fondo: ¿en qué se fundamenta lo que llamamos «vínculo social»? Eso que decimos que está en serio riesgo de perderse, ¿qué es, en definitiva? ¿Qué es lo que me «vincula», me «liga», a otras personas en un lugar determinado, hasta el punto de compartir un mismo destino?

Permítanme adelantar una respuesta: se trata de una cuestión ética. El fundamento de la relación entre la moral y lo social se halla justamente en ese espacio (tan esquivo, por otra parte) en que el hombre es hombre en la sociedad, animal político, como dirían Aristóteles y toda la tradición republicana clásica. Es esta naturaleza social del hombre la que fundamenta la posibilidad de un contrato entre los individuos libres, como propone la tradición democrática liberal (tradiciones tantas veces opuestas, como lo demuestran multitud de enfrentamientos en nuestra historia). Entonces, plantear la crisis como un problema moral supondrá la necesidad de volver a referirse a los valores humanos, universales, que Dios ha sembrado en el corazón del hombre y que van madurando con el crecimiento personal y comunitario. Cuando los obispos repetimos una y otra vez que la crisis es fundamentalmente moral, no se trata de esgrimir un moralismo barato, una reducción de lo político, lo social y lo económico a una cuestión individual de la conciencia. Esto sería «moralina». No estamos «llevando agua para el propio molino» (dado que la conciencia y lo moral es uno de los campos donde la Iglesia tiene competencia más propiamente), sino intentando apuntar a las valoraciones colectivas que se han expresado en actitudes, acciones y procesos de tipo histórico-político y social. Las acciones libres de los seres humanos, además de su peso en lo que hace a la responsabilidad individual, tienen consecuencias de largo alcance: generan estructuras que permanecen en el tiempo, difunden un clima en el cual determinados valores pueden ocupar en lugar central en la vida pública o quedar marginados de la cultura vigente. Y esto también cae dentro del ámbito moral. Por eso debemos reencontrar el modo particular que nos hemos dado, en nuestra historia, para convivir, formar una comunidad. [...]

Ahora bien: los condicionamientos de la sociedad y la forma que estos adquirieron, así como los hallazgos y creaciones del espíritu en orden a la ampliación del horizonte de lo humano siempre más allá, junto a la ley natural ínsita en nuestra conciencia se ponen en juego y se realizan concretamente en el tiempo y el espacio: en una comunidad concreta, compartiendo una tierra, proponiéndose objetivos comunes, construyendo un modo propio de ser humanos, de cultivar los múltiples vínculos, juntos, a lo largo de tantas experiencias compartidas, preferencias, decisiones y acontecimientos. Así se amasa una ética común y la apertura hacia un destino de plenitud que define al hombre como ser espiritual. Esa ética común, esa «dimensión moral», es la que permite a la multitud desarrollarse junta, sin convertirse en enemigos unos de otros. [...]

Lo «natural» crece en «cultural», «ético»; el instinto gregario adquiere forma humana en la libre elección de ser un «nosotros». Elección que, como toda acción humana, tiende luego a hacerse hábito (en el mejor sentido del término), a generar sentimiento arraigado y a producir instituciones históricas, hasta el punto que cada uno de nosotros viene a este mundo en el seno de una comunidad ya constituida (la familia, la «patria») sin que eso niegue la libertad responsable de cada persona. Y todo esto tiene su sólido fundamento en los valores que Dios imprimió a nuestra naturaleza humana, en el hálito divino que nos anima desde dentro y que nos hace hijos de Dios. Esa ley natural que nos fue regalada e impresa para que «se consolide a través de las edades, se desarrolle con el correr de los años y crezca con el peso del tiempo» (cfr. Vicente de Lerins, 1 *Conmonitorio*, cap. 23). Esta ley natural, que —a lo largo de la historia y de la vida— ha de consolidarse, desarrollarse y crecer es la que nos salva del así llamado relativismo de los valores consensuados. Los valores no pueden consensuarse: simplemente son. En el juego acomodaticio de «consensuar valores» se corre siempre el riesgo, que es resultado anunciado, de «nivelar hacia abajo», entonces ya no se construye desde lo sólido sino que se entra en la violencia de la degradación.[8]

ENANOS EN EL ESPÍRITU

Sí, dejarse mirar por el Señor, dejarse impactar por el dolor propio y el de los demás; dejar que el fracaso y la pobreza nos quiten los prejuicios, los ideologismos, las modas que insensibilizan, y que —de ese modo— podamos sentir el llamado: «Zaqueo baja pronto». Esta es la segunda clave de este pasaje evangélico: Zaqueo responde a un Jesús que lo llama a abajarse. Bajarse de sus autosuficiencias, bajarse del personaje inventado por su riqueza, bajarse de la trampa montada sobre sus pobres complejos. En efecto, ninguna altura espiritual, ningún proyecto de grandes esperanzas, puede hacerse real si no se construye y se sostiene desde abajo: desde el abajamiento de los propios intereses, desde el abajamiento al trabajo paciente y cotidiano que aniquila toda soberbia. [...]

Ahora o nunca, busquemos la refundación de nuestro vínculo social, como tantas veces lo reclamamos con toda la sociedad y, como este publicano arrepentido y feliz, demos rienda suelta a nuestra grandeza: la grandeza de dar y darnos. La gran exigencia es la renuncia a querer tener toda la razón; a mantener los privilegios; a la vida y la renta fácil... a seguir siendo necios, enanos en el espíritu.[9]

EL ROSTRO DE CRISTO

Los primeros anunciadores de la Buena Noticia de Jesucristo anunciaron en términos de contemplación y testimonio: »Lo que hemos visto y oído, lo que hemos tocado con nuestras manos, eso les comunicamos para que ustedes tengan vida». Frente a la infinidad de imágenes que pueblan el mundo, sólo el ejercicio austero de la contemplación del Rostro de Cristo nos permite espejar con realismo nuestra condición herida por el pecado en los ojos misericordiosos de Jesús, y descubrir en el Rostro del Señor el rostro de nuestros hermanos para hacernos más prójimos. Sólo el ejercicio austero de la contemplación del Rostro de Cristo nos permite descubrir el mismo Rostro del Señor en el otro para hacernos prójimos. Jesús es el Rostro visible del Dios invisible, y los excluidos y marginados de hoy son el rostro visible de Jesús. La contemplación es la que permite unir la paradoja de hacer visibles los rostros invisibles.[10]

LA BELLEZA DEL VÍNCULO SOCIAL

Aproximarse bien es todo lo contrario de la propuesta frívola de algunos medios que transmiten una caricatura del hombre. Es mostrar y resaltar su dignidad, la grandeza de su vocación, la belleza del amor que comparte el dolor, el sentido del sacrificio y la alegría de los logros.

Los medios pueden ser, lamentablemente, espejo de la sociedad en sus aspectos peores o en los frívolos y narcisistas. Pero también pueden ser ventana abierta por donde fluye sencilla y animadoramente la belleza del amor hermoso de Dios en la maravilla de sus obras, en la aceptación de su Misericordia y en la solidaridad y justicia con el prójimo. [...]

La belleza del amor es alegre sin frivolidad. Pensamos en la belleza de una Madre Teresa o de un Don Zatti, cuya luminosidad no proviene de ningún maquillaje ni de ningún efecto especial sino de ese resplandor que tiene la caridad cuando se desgasta cuidando a los más necesitados, ungiéndolos con ese aceite perfumado de su ternura. Sólo el samaritano goza la belleza de la caridad y el compromiso de amar y ser amado gratuitamente. Una experiencia que empieza por el conmovérsele las entrañas, por el enternecérsele el corazón; por hacerse sensible a la belleza y hermosura de Dios en el hombre (la gloria de Dios es el hombre viviente); a la belleza y el gozo de la paz y la comunión del hombre con Dios en el servicio humilde al herido anónimo, desconocido.... en los márgenes de la ciudad, del Mercado, de la sociedad... en la intemperie del camino... Se trata de una belleza distinta. Es la belleza del Amor.

En el Jesús roto de la cruz que no tiene apariencia ni presencia a los ojos del mundo y de las cámaras de TV, resplandece la belleza del amor hermoso de Dios que da su vida por nosotros. Es la belleza de la caridad, la belleza de los santos. Cuando pensamos en alguien como la madre Teresa de Calcuta nuestro corazón se llena de una belleza que no proviene de los rasgos físicos o de la estatura de esta mujer, sino del resplandor hermoso de la caridad con los pobres y desheredados que la acompaña.

Del mismo modo hay una hermosura distinta en el trabajador que vuelve a su casa sucio y desarreglado, pero con la alegría de haber ganado el pan de sus hijos. Hay una belleza extraordinaria en la comunión de la familia junto a la mesa y el pan compartido con generosidad, aunque la mesa sea muy pobre. Hay hermosura en la esposa desarreglada y casi anciana, que permanece cuidando a su esposo enfermo más allá de sus fuerzas y de su propia salud. Aunque haya pasado la primavera del noviazgo en la juventud, hay una hermosura extraordinaria en la fidelidad de las parejas que se aman en el otoño de la vida, esos viejitos que caminan tomados de la mano. Hay hermosura, más allá de la apariencia o de la estética de moda en cada hombre y en cada mujer que viven con amor su vocación personal, en el servicio desinteresado por la comunidad, por la patria; en el trabajo generoso por la felicidad de la familia... comprometidos en el arduo trabajo anónimo y desinteresado de restaurar la amistad social... Hay belleza en la creación, en la infinita ternura y misericordia de Dios, en la ofrenda de la vida en el servicio por amor. Descubrir, mostrar y resaltar esta belleza es poner los cimientos de una cultura de la solidaridad y de la amistad social.[11]

LA MENTIRA TODO LO DILUYE

En una sociedad donde la mentira, el encubrimiento y la hipocresía han hecho perder la confianza básica que permite el vínculo social, ¿qué novedad más revolucionaria que la verdad? Hablar con verdad, decir la verdad, exponer nuestros criterios, nuestros valores, nuestros pareceres. Si ya mismo nos prohibimos seguir con cualquier clase de mentira o disimulo seremos también, como efecto sobreabundante, más responsables y hasta más caritativos. La mentira todo lo diluye, la verdad pone de manifiesto lo que hay en los corazones.[12]

SAMARITANOS

El relato del buen Samaritano, digámoslo claramente, no desliza una enseñanza de ideales abstractos, ni se circunscribe a la funcionalidad de una moraleja ético-social. Sino que es la Palabra viva del Dios que se abaja y se aproxima hasta tocar nuestra fragilidad más cotidiana. Esa Palabra nos revela una característica esencial del hombre, tantas veces olvidada: que hemos sido hechos para la plenitud de ser; por tanto no podemos vivir indiferentes ante el dolor, no podemos dejar que nadie quede «a un costado de la vida», marginado de su dignidad. Esto nos debe indignar. Esto debe hacernos bajar de nuestra serenidad para «alterarnos» por el dolor humano, el de nuestro prójimo, el de nuestro vecino, el de nuestro socio en esta comunidad de argentinos. [...]

Todos tenemos algo de herido, algo de salteador, algo de los que pasan de largo y algo del Buen Samaritano. Es notable cómo las diferencias de los personajes del relato quedan totalmente transformadas al confrontarse con la dolorosa manifestación del caído, del humillado. Ya no hay distinción entre habitante de Judea y habitante de Samaria, no hay sacerdote ni comerciante; simplemente están dos tipos de hombre: los que se hacen cargo del dolor y los que pasan de largo, los que se inclinan reconociéndose en el caído, y los que distraen su mirada y aceleran el paso.

En efecto, nuestras múltiples máscaras, nuestras etiquetas y disfraces se caen: es la hora de la verdad, ¿nos inclinaremos para tocar nuestras heridas? ¿Nos inclinaremos a cargarnos al hombro unos a otros? Este es el desafío de la hora presente, al que no hemos de tenerle miedo. En los momentos de crisis la opción se vuelve acuciante: podríamos decir que en este momento, todo el que no es salteador o todo el que no pasa de largo, o bien está herido o está poniendo sobre sus hombros a algún herido.[13]

FRENTE AL INDIVIDUALISMO, EL «MODELO EUCARÍSTICO»

Una sociedad, un pueblo, una comunidad, no es sólo una suma de individuos que no se molestan entre sí. La definición negativa de libertad, que pretende que ésta termina cuando toca el límite del otro, se queda a medio camino. ¿Para qué quiero yo una libertad que me encierra en la celda de mi individualidad, que deja a los demás afuera, que me impide abrir las puertas y compartir con el vecino? ¿Qué tipo de sociedad deseable es aquella donde cada uno disfruta sólo de sus bienes, y para la cual el otro es un potencial enemigo hasta que me demuestre que nada de mí le interesa?

Quisiera que se me entienda bien: no somos los cristianos quienes vamos a caer en una concepción romántica e ingenua de la naturaleza humana. Más allá de las formulaciones históricas, la creencia en el pecado original quiere dar cuenta de que en cada hombre o mujer anida una inmensa capacidad de bien... y también de mal. Nadie está inmune, en cada semejante puede anidar también el peor enemigo, aún para sí mismo. [...]

No será a través de la entronización del individualismo que se dará su lugar a los derechos de la persona. El máximo derecho de una persona no es solamente que nadie le impida realizar sus fines, sino efectivamente realizarlos. No basta con evitar la injusticia, si no se promueve la justicia. No basta con proteger a los niños de negligencias, abusos y maltratos, si no se educa a los jóvenes para un amor pleno e integral a sus futuros hijos. Si no se brinda a las familias los recursos de todo tipo que necesitan para cumplir su imprescindible misión. Si no se favorece en la sociedad toda una actitud de acogida y amor a la vida de todos y cada uno de sus miembros, a través de los distintos medios con los cuales el Estado debe contribuir.

Una persona madura, una sociedad madura, entonces, será aquella cuya libertad sea plenamente responsable desde el amor. Y eso no crece sólo en las banquinas de las rutas. Implica invertir mucho trabajo, mucha paciencia, mucha sinceridad, mucha humildad, mucha magnanimidad. [...]

Quisiera apuntar brevemente a la más alta dimensión de la madurez, que es la santidad. Si toda esta reflexión no nos mueve a los cristianos a retomar una y otra vez la motivación última de nuestra existencia, se habrá quedado a mitad camino. Para el cristiano, la actuación de la libertad en el tiempo se cumple según el modelo eucarístico: proclamación de la salvación efectuada «hoy» en Cristo y en cada uno por la fe (con palabras y hechos), que «da cumplimiento» al pasado de la historia de salvación y «anticipa» el futuro definitivo. La esperanza en su más pleno sentido teológico, así, se torna clave de la experiencia cristiana del tiempo, centrada en la adhesión a la persona del Resucitado. [...]

La superación de la contradicción entre el individuo y la sociedad no se agota, desde nuestro punto de vista, en una mera búsqueda de consensos, sino que tiene que remontarse hacia la fuente de toda verdad. Profundizar el diálogo para acceder más plenamente a la Verdad, profundizando nuestras verdades en un Diálogo que no iniciamos nosotros sino Dios, y que tiene su propio tiempo y su propia pedagogía. Un diálogo que es un «camino hacia la verdad juntos». [...]

Será a partir de un permanente «ida y vuelta» entre experiencias de auténtico encuentro humano y su iluminación a partir del Evangelio que deberemos reconstruir los valores de solidaridad y el sentido de lo colectivo que el individualismo consumista y competitivo de los últimos tiempos ha minado en nuestro pueblo. Sin duda, esto exigirá una profundización y renovación de la Doctrina Social en nuestro contexto concreto.

Todo lo anterior caerá en saco roto si no acompañamos a nuestros jóvenes en un camino de conversión personal a la persona y mensaje de Jesús, como motivación última que articule los otros aspectos. Esto nos exigirá, además de coherencia personal —no hay predicación posible sin testimonio—, una búsqueda abierta y sincera de las formas que la experiencia religiosa puede tomar en este nuevo siglo. La conversión, queridos hermanos, no es algo que se da de una vez para siempre. Es signo de una auténtica vida cristiana la disposición a adorar a Dios «en Espíritu y en verdad», es decir, dondequiera sople ese Espíritu.[14]

EL TRABAJO: QUE LOS NIÑOS VEAN

El trabajo es una obligación pero también es un derecho que sirve de ejemplo para los niños: los niños al ver a sus padres laborando visualizan su posible desarrollo, crecimiento y maduración.

Si bien en épocas de crisis económica, donde el desempleo

crece, los Estados tienden a subsidiar al empleo o destinar planes para ayudar a la subsistencia de los hombres, estas políticas deben ser herramientas transitorias y no deben constituirse en política de Estado.

Si los Estados no tienen una fuerte política destinada al crecimiento industrial, no crecerá el empleo, una de las formas de asegurar a los habitantes de una Nación la justicia conmutativa.[15]

LA INCLUSIÓN POR LA ESCUELA

La escuela es el principal mecanismo de inclusión. Quienes se van de la escuela pierden toda esperanza ya que la escuela es el lugar donde los chicos pueden elaborar un proyecto de vida y empezar a formar su identidad. En la actualidad, la deserción escolar no suele dar lugar al ingreso a un trabajo sino que lleva al joven al terreno de la exclusión social: la deserción escolar parece significar el reclutamiento, especialmente de los adolescentes, a un mundo en el que aumenta su vulnerabilidad en relación a la violencia urbana, al abuso y a la adicción a las drogas o al alcohol. Si bien la escuela puede no lograr evitar estos problemas, la misma parece constituir la última frontera en que el Estado, las familias y los adultos se hacen cargo de los jóvenes, en el que funcionan, a veces a duras penas, valores y normas vinculados a la humanidad y la ciudadanía y en el que el futuro todavía no ha muerto.[16]

LAS VERDADERAS NUTRIENTES

Aunque en tiempos posteriores, la autoridad se identificó con el poder, en sus inicios no fue así. Por eso, en nuestra definición de educación, el educador, el que conduce (*e-duca-re*, de *duc*, de *duce*) y persona de autoridad, viene a ser aquel que conduce hacia las verdaderas nutrientes; conduce por el camino de la interioridad hacia lo fontal que nutre, inspira, hace crecer, consolida, misiona. Dos dimensiones del encuentro o, más bien, dos encuentros: el encuentro con la interioridad de sí mismo y el encuentro con el educador-autoridad que me conduce por el sendero hacia ese encuentro interior. A esto llamo encuentro educativo.

Hablamos de encuentro educativo y aunque el encuentro tenga notas de compañerismo, uno es el que elige educar y otro el ser educado. Hay uno que conoce el camino y lo ha recorrido algunas veces y otro que, confiado en esa ciencia y en esa sabiduría, se deja conducir. Pero esto no puede reducirse a una ecuación de actividad-pasividad. También el educador recibe del educando y esa recepción lo perfecciona y lo purifica. De ahí que el encuentro educativo requiere la aceptación mutua: no existe otra forma de lograr la cooperación que conjuga los esfuerzos de unos y otros en busca de las altas finalidades educativas que esta aceptación mutua.[17]

ENSUCIARSE LAS MANOS

Educar es crecer y sólo se crece en el seno de un pueblo y de una familia, sólo se crece donde hay entusiasmo, donde hay alegría, donde hay sencillez de corazón. Sólo se crece donde no hay egoísmo donde hay éxodo de sí mismo para encontrar a otro; donde se piensa en los más pobres y en los que más necesitan y se los va incluyendo en el pueblo, en la familia. Sólo se crece donde hay Amor. [...]

Un pueblo que no quiere conflictos, una familia que no quiere líos, no educa. En la asepsia no hay vida, se mata todo. Pero Padre, me podrá decir alguien, hay cosas en las que si uno se mete se ensucia las manos; y es verdad, es como el alfarero que para modelar su vaso de arcilla se ensucia las manos. No tengan miedo de ensuciarse las manos, no tengan miedo, siempre y cuando ese ensuciarse las manos sea para atajar, para contener para hacer crecer el corazón y el alma de un chico que nos es confiada cada día.[18]

¿Por qué elegir este tema? Hay dos motivos. El primero, su insoslayable centralidad dentro de la tarea docente. La función de la escuela incluye un fundamental elemento de socialización: de creación del lazo social que hace que cada persona constituya también una comunidad, un pueblo, una nación. La tarea de la escuela no se agota en la transmisión de conocimientos ni tampoco sólo en la educación de valores, sino que estas dimensiones están íntimamente ligadas a la que ponía de relieve en primer término; porque pueblo no es ni una masa, ni de súbditos, ni de consumidores, ni de clientes, ni de ciudadanos emisores de un voto. El segundo motivo que me impulsa a tomar esta cuestión como tema de reflexión en este año es justamente la necesidad de fortalecer o incluso refundar ese lazo social. En tiempos de globalización, postmodernidad y neoliberalismo, los vínculos que han conformado nuestras naciones tienden a aflojarse y a veces hasta a fracturarse, dando lugar a prácticas y mentalidades individualistas, al «sálvese quien pueda», a reducir la vida social a un mero toma y daca pragmático y egoísta. Como esto trae serias consecuencias, las cosas se hacen más y más complicadas, violentas y dolorosas a la hora de querer paliar esos efectos. Así se realimenta un círculo vicioso en el cual la degradación del lazo social genera más anomia, indiferencia y aislamiento.[19]

EL DEBER DE LA COSA PÚBLICA

El amor que pasa por instituciones en el sentido más amplio de la palabra: formas históricas de concretar y hacer perdurables las intenciones y deseos. ¿Cuáles, por ejemplo? Las leyes, las formas instituidas de convivencia, los mecanismos sociales que hacen a la justicia, a la equidad o a la participación... Los «deberes» de una sociedad, que a veces nos irritan, nos parecen inútiles, pero «a la larga» hacen posible una vida en común en la cual todos puedan ejercer sus derechos, y no sólo los que tienen fuerza propia para reclamarlos o imponerse.

La parábola del Juicio Final nos habla, entonces, del valor de las instituciones en el reconocimiento y la promoción de las personas. Podemos decirlo así: «Cuando el Hijo del hombre venga en su gloria...», nos pedirá cuentas de todas aquellas veces que cumplimos o no con esos «deberes» cuya consecuencia en el plano del amor no podíamos visualizar directamente; ellos son parte del mandamiento del amor. Incluimos también el deber de participar activamente en la «cosa pública», en vez de sentarnos a mirar o a criticar. [...]

Dejar atrás esa mentalidad de la cual quede del todo descartado un diálogo final como éste:

«Señor, ¿cuándo fue que no te di de comer, de beber, etc.?»

«Cuando te sumaste al "no te metás" mientras yo me moría de hambre, de sed, de frío, estaba tirado en la calle, desescolarizado, envenenado con drogas o con rencor, despreciado, enfermo sin recursos, abandonado en una sociedad donde cada uno se preocupaba sólo por sus cosas y por su seguridad».[20]

BENDECIR NUESTRO PASADO

También nos hace falta decirnos bien las cosas que nos dieron nuestros mayores: bendecir nuestro pasado, no maldecirlo. Lo que fue pecado e injusticia también necesita ser bendecido con el perdón, el arrepentimiento y la reparación. Y lo que fue bueno, necesita ser bendecido con el reconocimiento y la acción de gracias que sabe valorar la vida que se nos dio, la tierra que recibimos. Bendecir el pasado es hablar bien de Dios, de nuestros padres y de nuestros abuelos. Agradecer lo que nos dieron aun con sus imperfecciones y pecados es ser bien nacidos. Pero es mucho lo recibido. El que maldice para atrás es porque seguramente está planeando sacar una ventaja en el presente o en el futuro, una ventaja que no será bendición para otros.[21]

LA IDOLATRÍA DEL QUIETISMO CULTUROSO

Así nos quiere la propuesta cultural del paganismo actual en el mundo y en nuestra ciudad: solos, quietos, al final de un camino de ilusión que se transforma en sepulcro, muertos en nuestra frustración y egoísmo estériles,. Hoy necesitamos que la fuerza de Dios nos conmueva, que haya un gran temblor de tierra, que un Ángel haga rodar la piedra en nuestro corazón, esa piedra que impide el camino, que haya relámpago y mucha luz. Hoy necesitamos que nos sacudan el alma, que nos digan que la idolatría del quietismo culturoso y posesivo no da vida. Hoy necesitamos que, después de ser sacudidos por tantas frustraciones, lo volvamos a encontrar a Él y nos diga «No teman», pónganse de nuevo en camino, vuelvan a la Galilea del primer amor. Necesitamos reanudar la marcha que comenzó nuestro padre Abraham y que nos señala este Cirio Pascual. Hoy necesitamos encontrarnos con Él; que lo encontremos y Él nos encuentre. Hermanos, las «felices pascuas» que les deseo es que hoy algún Ángel haga rodar la piedra y nos dejemos encontrar con Él.[22]

EL AMOR GRATUITO, FUNDAMENTO DE LA COMUNIDAD

Jesús no da sólo un mandamiento en el sentido más común de la palabra sino que proclama la única forma de fundar un vínculo y una comunidad que sea humanizadora: el amor gratuito, sin reclamos, que es consistente por convicciones, que siente y piensa a los otros como prójimos, es decir como a sí mismo. Es cierto que resulta difícil encontrar un ser humano que no sienta la necesidad, la carencia o el deseo dirigido al amor, pero también es verdad que nuestras limitadas condiciones siempre lo estrechan y repliegan a los propios intereses. El amor que propone Jesús es gratuito e ilimitado y por ello muchos lo consideran, a El y su enseñanza, un delirio, una locura y prefieren conformarse con la mediocridad ambigua... sin críticas ni desafíos. Y esos mismos predicadores de la mediocridad cultural y social reclaman, cuando sus intereses se ven afectados, actitudes éticas por parte de los demás y de las autoridades. Pero ¿en qué se puede fundar una ética sino en el interés que «el otro» y «los otros» me despiertan desde el amor como convicción y actitud fundamental?, es decir desde esta «locura» que Jesús propone.[23]

LOS MERCADERES DE LAS TINIEBLAS

SOBERBIA PURA

Estamos como Pedro aquella noche en el lago: por una parte la presencia del Señor nos anima a asumir y enfrentar el oleaje de estos desafíos; por otra parte, el ambiente de autosuficiencia y petulancia, soberbia pura, que va creando esta cultura de la muerte nos amenaza, y tenemos miedo de hundirnos en medio de la tormenta. El Señor está allí: lo creemos con la certeza que nos da la fuerza del Espíritu Santo. Y, desafiando a este Señor, está el grito apagado de tantos niños por nacer: ese genocidio cotidiano, silencioso y protegido; también está allí el reclamo del moribundo abandonado que pide una caricia de ternura que no sabe dar esta cultura de muerte; y también está allí esa multitud de familias hechas jirones por las propuestas del consumismo y del materialismo.[1]

RASGOS DE LA CULTURA DEL NAUFRAGIO

En esta cultura globalizada, llegan a nuestras orillas restos de lo que alguien tituló «cultura del naufragio», elementos de la modernidad que se despide y de su posteridad que va ganando terreno.

Intentemos reconocer y caracterizar, algunos de sus rasgos:

* *Mesianismo profano.* Aparece bajo diversas formas sintomáticas de los enfoques sociales o políticos. A veces se trata de un desplazamiento del ethos de los actos de la persona hacia las estructuras, de tal modo que no será el ethos el que da forma a las estructuras sino las estructuras quienes producen el ethos. De ahí que el camino de salvación sociopolítico prefiera ir por el «análisis de las estructuras» y de las actuaciones político económicas que de ellas resultan. [...]

* El *relativismo,* fruto de la incertidumbre contagiada de mediocridad: es la tendencia actual a desacreditar los valores o por lo menos propone un moralismo inmanente que pospone lo trascendente reemplazándolo con falsas promesas o fines coyunturales. La desconexión de las raíces cristianas convierte a los valores en mónadas, lugares comunes o simplemente nombres. [...]

Hay una reducción de la ética y de la política a la física. No existen el bien y el mal en sí, sino solamente un cálculo de ventajas y desventajas. El desplazamiento de la razón moral trae como consecuencia que el derecho no puede referirse a una imagen fundamental de justicia, sino que se convierte en el espejo de las ideas dominantes.

Este repliegue subjetivista de los valores, nos induce a un «avance mediante el consensuar coyuntural». Entramos aquí también en una degradación: ir «nivelando hacia abajo» por medio del consenso negociador. Se avanza pactando. Por ende, la lógica de la fuerza triunfa.

Por otra parte, instaura el reino de la opinión. No hay certezas ni convicciones. Todo vale; de allí al nada vale, sólo pocos pasos.

* El hombre de hoy experimenta *el desarraigo y el desamparo.* Fue llevado hasta allí por su afán desmedido de autonomía heredado de la modernidad. Ha perdido el apoyo en algo que lo trascienda.

* Un nuevo *nihilismo* que «universaliza» todo anulando y desmereciendo particularidades, o afirmándolas con tal violencia

que logran su destrucción. Luchas fratricidas. Internacionalización total de capitales y de medios de comunicación, despreocupación por los compromisos socio-políticos concretos, por una real participación en la cultura y los valores.

Queremos ilusionarnos con una individualidad autónoma, no discriminada... y terminamos siendo un número en las estadísticas del marketing, un estímulo para la publicidad.

* La unilateralidad del concepto moderno de la razón: sólo *la razón cuantitativa* (las geometrías como ciencias perfectas), la razón del cálculo y de la experimentación tiene derecho a llamarse «razón».

* La *mentalidad tecnicista* juntamente con la búsqueda del mesianismo profano son dos rasgos expresivos del hombre de hoy, a quien bien podemos calificar de «hombre gnóstico»: poseedor del saber pero falto de unidad, y —por otro lado— necesitado de lo esotérico, en este caso secularizado, es decir, profano. En este sentido se podría decir que la tentación de la educación es ser gnóstica y esotérica, al no poder manejar el poder de la técnica desde la unidad interior que brota de los fines reales y de los medios usados a escala humana. Y esta crisis no puede ser superada por ningún tipo de «retorno» (de los que la modernidad agonizante ensayo a porfía), sino que se supera por vía de *desbordamiento interno*, es decir, en el núcleo mismo de la crisis, asumiéndola en su totalidad, sin quedarse en ella, pero trascendiéndola hacia adentro.

* *Falsa hermenéutica que instaura la sospecha.* Se usa la falacia que es una mentira que fascina con su estructura aparentemente inobjetable. Sus efectos perniciosos se manifiestan lentamente.

O se caricaturiza la verdad o lo noble, agigantando jocosa o cruelmente una perspectiva y dejando en la sombra muchas otras. Es una forma de rebajar lo bueno. Siempre resulta fácil reírse una y mil veces, en público o en privado, de algún valor: la honestidad, la no violencia, el pudor, pero eso no lleva sino a perder el sabor por ese valor y a favorecer la instalación de su antivalor y el envilecimiento de la vida.

O se emplea el eslógan, que con riqueza de lenguaje verbal o visual, utilizando los conceptos más valiosos y ricos, absolutizan un aspecto y desfiguran el todo.

* Ya no aporta la postmodernidad, una aversión a lo religioso, y menos lo fuerza al ámbito de la privacidad. Se da un *deísmo diluido* que tiende a reducir la fe y la religión a la esfera «espiritualista» y a lo subjetivo (de donde resulta una fe sin piedad). Por otros rincones surgen *posturas fundamentalistas*, con la que desnudan su impotencia y superficialidad.

Esa miserable trascendencia, que no alcanza ni a hacerse cargo de los límites de la inmanencia, sencillamente se da porque no se anima a tocar ningún límite humano ni a meter la mano en ninguna llaga.

* Muy unido a este paradigma del deísmo existe un proceso de vaciamiento de las palabras (palabras sin peso propio, palabras que no se hacen carne). Se las vacía de sus contenidos; entonces Cristo no entra como Persona, sino como idea. Hay una inflación de palabras. Es una *cultura nominalista*. La palabra ha perdido su peso, es hueca. Le falta respaldo, le falta la «chispa» que la hace viva y que precisamente consiste en el silencio.[2]

LA CRISIS DE LA MODERNIDAD

Lo que está en crisis es toda una forma de entender la realidad y de entendernos a nosotros mismos.

En segundo lugar, la crisis es histórica. No es la «crisis del hombre» como un ser abstracto o universal: es una particular inflexión del devenir de la civilización occidental, que arrastra consigo al planeta entero. Es verdad que en toda época hay cosas que funcionan mal, cambios que realizar, decisiones que tomar. Pero aquí hablamos de algo más. Nunca como en esta época, en los últimos cuatrocientos años, se han visto tan radicalmente sacudidas las certezas fundamentales que hacen a la vida de los seres humanos. Con gran potencia destructiva se muestran las tendencias negativas. Pensemos solamente en el deterioro del medio ambiente, en los desequilibrios sociales, en la terrible capacidad de las armas. Tampoco han sido nunca tan poderosos los medios de información, comunicación y transporte, con lo que esto tiene de negativo (la por momentos compulsiva uniformación cultural, de la mano de la expansión del consumismo), pero sobre todo de positivo: la posibilidad de contar con medios poderosos para el debate, el encuentro y el diálogo, junto a la búsqueda de soluciones.[3]

Sentido y término de la Historia y «buenas intenciones»

Pero además, la tensión hacia esa consumación nos dice que esta historia *tiene un sentido y un término*. La acción de Dios que comenzó con una Creación en cuya cima está la creatura que podía responderle como imagen y semejanza suya, con la cual él podía entablar una relación de amor, y que alcanzó su punto maduro con la Encarnación del Hijo, tiene que culminar en una plena realización de esa comunión de un modo universal. Todo lo creado debe ingresar en esa comunión definitiva con Dios, iniciada en Cristo resucitado. Es decir: debe haber un término como perfección, como acabamiento positivo de la obra amorosa de Dios. Un término que no es resultado inmediato o directo de la acción humana, sino que es una acción salvadora de Dios, el broche final de la obra de arte que él mismo inició y en la cual quiso asociarnos como colaboradores libres.

Y si esto es así, la fe en la *Parusía* o consumación escatológica se torna fundamento de la esperanza y cimiento del *compromiso cristiano en el mundo*. La historia, nuestra historia, no es tiempo perdido. Todo lo que vaya en la línea del Reino, de la verdad, la libertad, la justicia y la fraternidad, será recuperado y plenificado. Y esto cuenta no sólo para el amor con que se hicieron las cosas, como si la obra no importara. Los cristianos hemos hecho, muchas veces, demasiado hincapié en las «buenas intenciones» o en la rectitud de intención. La obra de nuestras manos —y no sólo la de nuestro corazón— vale por sí misma; y en la medida en que se oriente en la línea del Reino, del plan de Dios, será perdurable de un modo que no podríamos imaginar. En cambio, lo que se oponga a ese Reino, además de tener los días contados, será definitivamente descartado. No será parte de la Nueva Creación.

La esperanza cristiana no es, entonces, un «consuelo espiritual», una distracción de las tareas serias que requieren nuestra atención. Es una dinámica que nos hace libres de todo determinismo y de todo obstáculo para construir un mundo de libertad, para liberar a esta historia de las cadenas de egoísmo, inercia e injusticia en las cuales tiende a caer con tanta facilidad.[4]

AL RESCATE DE LA RACIONALIDAD

Desde distintas posiciones ideológicas, se ha dado un debate hace algunos años en torno a la oposición entre modernidad y postmodernidad. Entre las muchas —muchísimas— dimensiones y perspectivas que incluyó (y aún incluye, de algún modo vulgarizado) esa discusión, queremos poner de relieve una: la idea de que el »fin de la modernidad» supone la caída de las principales certezas, idea que remite, en último análisis, a un profundo descrédito de la razón. [...]

Comenzando el siglo XXI, ya no hay una racionalidad, un sentido, sino múltiples sentidos fragmentarios, parciales. La misma búsqueda de la verdad —y la misma idea de «verdad»— se ensombrecen: en todo caso, habrá «verdades» sin pretensiones de validez universal, perspectivas, discursos intercambiables. Un pensamiento que se mueve en lo relativo y lo ambiguo, lo fragmentario y lo múltiple, constituye el talante que tiñe no sólo la filosofía y los saberes académicos, sino la misma cultura «de la calle», como habrán constatado todos aquellos que tienen trato con los más jóvenes. El relativismo será pues el resultado de la así llamada «política del consenso» cuyo proceder siempre entraña un nivelar-hacia-abajo. Es la época del «pensamiento débil».

De ahí que, desanclada de las certezas de la razón (y, como bien señalaba Juan Pablo II, también de las de la fe como un «saber» de salvación), la cultura actual se recuesta en el sentimiento, en la impresión y en la imagen. También esto hace a la orfandad, también eso nos exige hacer de nuestras escuelas un lugar de acogida, un espacio donde las personas puedan encontrarse a sí mismas y con los otros para recrear su estar en el mundo.[5]

HAY UNA VIDA QUE CUIDAR... NO AL ABORTO

La batalla contra el aborto la sitúo en la batalla a favor de la vida desde la concepción. Esto incluye el cuidado de la madre durante el embarazo, la existencia de leyes que protejan a la mujer en el post parto, la necesidad de asegurar una adecuada alimentación de los chicos, como también el brindar una atención sanitaria a lo largo de toda una vida, el cuidar a nuestros abuelos y no recurrir a la eutanasia. Porque tampoco debe *submatarse* con una insuficiente alimentación o una educación ausente o deficiente, que son formas de probar una vida plena. Si hay una concepción que respetar, hay una vida que cuidar. [...]

La mujer embarazada no lleva en el vientre un cepillo de dientes; tampoco un tumor. La ciencia enseña que, desde el momento de la concepción, el nuevo ser tiene todo el código genético. Es impresionante. No es, entonces, una cuestión religiosa, sino claramente moral, con base científica, porque estamos en presencia de un ser humano.[6]

¿SERÉ YO EL PRÓXIMO EXCLUIDO?

¿Puede ser deseable una sociedad que descarte a una cantidad grande o pequeña de sus miembros? Aun desde una posición egoísta, ¿cómo podré estar seguro de que no seré yo el próximo excluido? [...]

Si se acepta que «algunos sí y otros no», queda la puerta abierta para todas las aberraciones que vengan después. Y esto es, también, un punto central de la creatividad que buscamos. La capacidad de mirar siempre qué pasa con el lado que no se tuvo en cuenta en los cálculos. «Volver a mirar», a ver si no quedó nadie afuera, nadie olvidado. Por muchos motivos. Primero, porque en la lógica cristiana, todo hombre debe tener su lugar y cada uno es imprescindible. Segundo, porque una sociedad excluyente es, en realidad, una sociedad potencialmente enemiga de todos. Y tercero, porque aquel que fue olvidado no se va a resignar tan fácilmente. Si no pudo entrar por la puerta, tratará de hacerlo por la ventana. Resultado: la bella sociedad excluyente y amnésica tendrá que volverse más y más represiva, para evitar que los Lázaros que dejó afuera puedan meterse a «manotear algo» de la mesa de Epulón.[7]

EXPERIMENTAR CON CHICOS Y ANCIANOS

Cuando una civilización pierde el norte, la brújula se enloquece y empieza a dar vueltas. Marca cualquier dirección, todo vale. Pero en esta brújula loca hay dos signos que son claves. Dos signos de profunda desorientación existencial. En una civilización que relativiza la verdad, siempre —y esto es constante— se experimenta con los chicos y con los ancianos. Y nuestra civilización experimenta con los chicos y con los ancianos. [...]

Los niños son esperanza de un pueblo y los ancianos son esperanza de un pueblo. Los niños porque nos van a sustituir a nosotros, son los que van a recibir la antorcha. Y los ancianos porque son la sabiduría de ese pueblo y son los que nos tienen que dar lo que han vivido en su camino de la vida. Y hoy, en este siglo veintiuno, tan suficiente, los hombres experimentan con los chicos y los ancianos. [...]

¿Cuánto dura un viejito con ciento veinte pesos en el bolsillo sin remedios y sin médico? Se experimenta con la sabiduría de la vejez. O con los chicos experimentemos con este valor... no, probemos con este otro... probemos así... probemos allá. Y se les deforma la conciencia, y se los hace entrar sutilmente en ese mundo del relativismo que es tiniebla disfrazada de luz. [...]

Se está experimentado con los chicos en el campo social. Se está experimentado con los chicos en el campo cultural. Se está experimentando con los chicos en el campo de lo ético, de lo moral.[8]

LOS LÍMITES DEL PENSAMIENTO UTÓPICO

La utopía no es pura fantasía: también es crítica de la realidad y búsqueda de nuevos caminos.

En ese rechazo de lo actual en pos de otro mundo posible, articulado como un salto al futuro que debe después hallar sus caminos para hacerse viable, tiene dos serios límites: primero, cierta cualidad «loca», propia de su carácter fantástico o imaginario que, al poner el acento en esa dimensión y no en los aspectos pragmáticos de su construcción, puede convertirla en un mero sueño, un deseo imposible. Algo de eso resuena en cierto uso actual, «realista», del término. El segundo límite: en su rechazo de lo actual y deseo de instaurar algo nuevo, puede recaer en un autoritarismo más feroz e intransigente que aquello que se quería superar. ¿Cuántos ideales utópicos no han dado lugar, en la historia de la humanidad, a todo tipo de injusticias, intolerancias, persecuciones, atropellos y dictaduras de diversos signos?

Pues bien: justamente son estos dos límites del pensamiento utópico los que han provocado su descrédito en la actualidad; ya sea por un pretendido realismo que se ata a «lo posible», entendiendo eso posible como el solo juego de las fuerzas dominantes descartando la capacidad humana de crear realidad a partir de una aspiración ética; ya sea por el hartazgo ante las promesas de ciertos mundos nuevos que, en el último siglo, sólo han traído más sufrimiento a los pueblos.[9]

En efecto: la Ciudad de Dios es, en primer lugar, una crítica a la concepción que sacralizaba el poder político y el *statu quo*. Todo imperio de la antigüedad se apoyaba en este tipo de creencia. La religión formaba parte esencial de toda la construcción simbólica e imaginaria que sostenía la sociedad desde un poder sacralizado. Y esto no era sólo cuestión de los «paganos»: una vez que el cristianismo fue adoptado como religión del Imperio Romano, se fue conformando una «teología oficial» que sostenía esa realidad política como si fuera ya el Reino de Dios consumado en la tierra.

Justamente a ese tipo de lectura teológica de una realidad histórica se oponía Agustín con su obra. Al mostrar las semillas de corrupción en la Roma imperial, estaba rompiendo toda identificación entre Reino de Cristo y reino de este mundo. Y al presentar la Ciudad de Dios como una realidad presente en la historia, pero de un modo entremezclado con la Ciudad terrena y sólo «separable» en el Juicio final, daba lugar a la posibilidad de otra historia posible, vivida y construida desde otros valores y otros ideales. Si en la «teología oficial» la historia era el lugar exclusivo y excluyente del Poder autorreferenciado, en la *Ciudad de Dios* se constituye en espacio para una Libertad que acoge el don de la salvación y el proyecto divino de una humanidad y un mundo trasfigurados. Proyecto que será consumado en la escatología, es cierto, pero que ya en la historia puede ir gestando nuevas realidades, derribando falsos determinismos, abriendo una y otra vez el horizonte de la esperanza y de la creatividad a partir de un «plus» de sentido, de una promesa que siempre está invitando a seguir adelante. [...]

Otro aspecto de nuestro santo es su comprometida y concreta lucha por la construcción de una Iglesia fuerte, unida, centrada en la experiencia de fe de la cual él mismo era un testigo privilegiado, pero también realizándose de un modo histórico y terreno en una comunidad concreta. Su firme posición ante los donatistas (una corriente que pretendía una Iglesia de los «puros», sin lugar para los pecadores) ponía de manifiesto la convicción realista de que la espera de un cielo nuevo y una nueva tierra no debe dejarnos de brazos cruzados ante los desafíos del presente, en pos de una «pureza» o «no contaminación con lo terreno», sino que —por el contrario— debe darnos una orientación y una energía propia para «amasar» el barro de lo cotidiano, el ambiguo barro de que está hecha la historia humana, para plasmar un mundo más digno de las hijas e hijos de Dios. No el cielo en la tierra: sólo un mundo más humano, en espera de la acción escatológica de Dios.

La creatividad histórica, entonces, desde una perspectiva cristiana, se rige por la parábola del trigo y la cizaña. Es necesario proyectar utopías, y al mismo tiempo es necesario hacerse cargo de lo que hay. No existe el «borrón y cuenta nueva». Ser creativos no es tirar por la borda todo lo que constituye la realidad actual, por más limitada, corrupta y desgastada que ésta se presente. No hay futuro sin presente y sin pasado: la creatividad implica también memoria y discernimiento, ecuanimidad y justicia, prudencia y fortaleza.[10]

JESÚS Y EL «NIÑO OBJETO»

Jesús por nacer ilumina también la vida de la persona en el vientre de su madre. Desde nuestra fe —por el misterio de la Encarnación del Verbo— lo humano, lo que está en el orden de la ley natural, adquiere la nueva dimensión sobrenatural que, sin negar la naturaleza, la perfecciona, la lleva a su plenitud.

Con este acontecimiento se abre una nueva perspectiva para considerar el origen y el desarrollo de nuestra vida y, en el caso que nos ocupa, Cristo en el seno de María es clave hermenéutica para comprender e interpretar el camino, la vida. Y los derechos del niño por nacer, para entender más nítidamente lo que ya, al respecto, nos dice la ley natural.

Jesús se hace niño. Jesús comienza como todo niño y se integra en la vida de familia. La ternura de la madre hacia ese hijo que viene, la esperanza del padre (adoptivo en este caso) que ha apostado al futuro de la promesa, el paciente crecer cada día un poco más hasta el momento de ver la luz, todo esto que se da en la gestación de los niños, con Jesús adquiere una nueva significación que ilumina la comprensión del misterio del hombre y marca nuestra existencia con valores que florecen en actitudes: ternura, esperanza, paciencia. Sin estas tres actitudes (ternura, esperanza, paciencia) no se puede respetar la vida y el crecimiento del niño por nacer. La ternura nos compromete, la esperanza nos lanza hacia el futuro, la paciencia acompaña nuestra espera en el cansino pasar de los días. Y las tres actitudes constituyen una suerte de engarce para esa vida que va creciendo día a día.

Cuando estas actitudes no están, entonces el niño pasa a ser un «objeto», alejado de su padre y de su madre, y muchas veces «algo» que molesta, alguien intruso en la vida de los adultos, quienes pretenden vivir tranquilos, replegados sobre sí mismos en un egoísmo paralizante. Desde el seno de su Madre Jesús acepta correr todos los riesgos del egoísmo. Ya nacido, pero niño aún, fue sometido a la persecución de Herodes quien «mataba a los niños en su carne porque a él lo mataba el miedo en su corazón». Hoy también a los niños, y a los niños por nacer, los amenaza el egoísmo de quienes sufren la sombra de la desesperanza en su corazón, la desesperanza que siembra miedo y lleva a matar. Hoy también nuestra cultura individualista se niega a ser fecunda, se refugia en un permisivismo que nivela hacia abajo, aunque el precio de esa no-fecundidad sea sangre inocente. Hoy también estamos influenciados por un teísmo biodegradador de lo humano; ese teísmo spray que pretende suplir a la gran Verdad: «el Verbo es venido en carne». Hoy también la propuesta cultural a replegarse sobre sí mismo en una dimensión egoísticamente individualista se construye a costa de los derechos de las personas, de los niños. Estos son rasgos del Herodes moderno.

La Encarnación del Verbo, Jesús niño por nacer en el Vientre de María, nos convoca una vez más a la valentía. No queremos degradarnos en la cultura facilista que nos anula y que siempre

—porque mata de a poco— termina siendo cultura de la muerte.[11]

SABIDURÍA VS ILUSTRACIÓN

Pero, ¿por qué deja a aquellos exaltados solos con sus piedras y sus deseos de desbarrancar todo lo que no concuerde con sus ideas? ¿Qué les impide a estos transitar esta senda de la escucha de la Buena Nueva? Tal vez el tácito enfrentamiento, en sus vidas, entre sabiduría e ilustración. Lo sabio es añejamiento de vida donde campea la prudencia, la capacidad de comprensión, el sentido de pertenencia. Lo ilustrado, en cambio, puede correr el riesgo de dejarse empapar de ideologías —no de ideas— de prejuicios, de facciosidad. La impaciencia de la elites ilustradas no entiende el laborioso y cotidiano caminar de un pueblo, ni comprende el mensaje del sabio. Y en aquel entonces había también elites ilustradas que aislaban su conciencia de la marcha de su pueblo, que negociaban su pertenencia y su fe, también existían las izquierdas ateas y las derechas descreídas abroqueladas en sus seguridades marginales ajenas a todo sentir popular. Algo de aquella cerrazón emocional, de esas expectativas no colmadas las sintió Jesús como verdaderas cegueras del alma. Tal actitud parece evocar los reclamos histriónicos, inmediatistas; esas reacciones y posturas extremas o superficiales en las que solemos caer. [...]

¿Qué vemos cuando se nos permite abrir los ojos? Vemos a Dios escabullido en medio de su pueblo, caminando con su pueblo.

Vemos a un Jesús con los pies en la tierra, cultivando corazones como buen Sembrador (y cultivar es la raíz de cultura), elaborando la verdadera comida del espíritu, ésa que cimienta la comunión entre los habitantes de la Nación. Se trata de esa comida espiritual, ese pan que, partido, permite ver; el que se saborea acompañando a los que sufren cotidianamente, sin pretender sacar provecho o rédito; el que abraza a todos aun a los que no lo reconocen.

El que, con su misericordia, se hace cargo de miserias y maldades, sin adulaciones ni justificativos demagógicos, sin conceder a modas y costumbres.

Es sabiduría: el pan que nos abre los ojos y nos previene de la ceguera de la mediocridad, proponiéndonos una vida que tiende hacia lo mejor y no la ética del minimalismo o el eticismo exquisito de laboratorio, a la vez es la Sabiduría que comprende profundamente y perdona todo.

Es el pan que nos hace sentir el respaldo que da la sapiencial constancia de recorrer y de tocar el dolor humano concreto, sin mediaciones ideológicas ni interpretaciones evasivas o hechas para la opinión pública.

Y porque se da como Pan, es la Sabiduría que con su testimonio y su palabra sabe que el alma de un pueblo crece cuando hay trabajo del espíritu en lo más profundo, sensible y creativo. Ése es su incansable desafío educativo, lejos de la pura información enciclopedista o tecnocrática, más lejos aún de la subordinación a esquemas de poder. Porque su verdadero poder es el del amor infinito y confiado de Dios, que no se ata a razas ni a formas culturales ni a sistemas, sino que les da su sentido y significado último: ayudar a ser y disfrutar de la alegría de ser, que exige renuncia y se resiste a quedar encerrado en los propios horizontes mezquinos.[12]

EXCESO DE INFORMACIÓN Y OCULTAMIENTO

Una confusa cultura mediática mediocrizada nos mantiene en la perplejidad del caos y de la anomia, de la permanente confrontación interna y de «internas», distraídos por la noticia espectacular para no ver nuestra incapacidad frente a los problemas cotidianos. Es el mundo de los falsos modelos y de los libretos. La opresión más sutil es entonces la opresión de la mentira y del ocultamiento... eso sí, a base de mucha información, información opaca y, por tal, equívoca.

Curiosamente tenemos más información que nunca y, sin

embargo, no sabemos qué pasa. Cercenada, deformada, reinterpretada, la sobreabundante información global empacha el alma con datos e imágenes, pero no hay profundidad en el saber. Confunde el realismo con el morbo manipulador, invasivo, para el que nadie está preparado pero que, en la paralizante perplejidad, obtiene réditos de propaganda. Deja imágenes descarnadas, sin esperanza.[13]

SOBRE EL DINERO

El cristianismo condena con la misma fuerza tanto al comunismo como al capitalismo salvaje. Existe una propiedad privada, pero con la obligación de socializarla en parámetros justos. Un ejemplo claro de lo que sucede es lo que pasa con el dinero que se evade al exterior. El dinero también tiene patria, y aquel que explota una industria en el país y se lleva el dinero para guardarlo afuera está pecando. Porque no honra con ese dinero al país que le da la riqueza, al pueblo que trabaja para generar esa riqueza. [...]

De ahí la importancia que tiene entre nosotros el concepto de deuda social. En todo usufructo, hay que considerar la dimensión de deuda social. [...]

Hay un dicho de un predicador de los primeros siglos del cristianismo que dice que detrás de una gran fortuna siempre hay un crimen. No creo que siempre sea verdad. [...]

Algunos creen que por dar una donación lavan su conciencia. Pero, en el diálogo pastoral, la conciencia se lava de otra manera. A veces pregunto al que se confiesa si da limosna a los mendigos. Cuando me dicen que sí, sigo preguntando: «¿Y mira a los ojos al que le da limosna, le toca la mano?»

Y ahí empiezan a enredarse, porque muchos le tiran la moneda y voltean la cabeza. Son actitudes, gestos. O eres solidario con tu pueblo o vives de tu dinero mal habido. Nosotros tenemos el séptimo mandamiento, «no robarás». Está aquel que tiene dinero mal habido y quiere restituirlo con una obra de beneficencia.

Jamás acepto una restitución si no hay un cambio de conducta, un arrepentimiento que me conste. Si no, lava la conciencia, pero después sigue la farra. Una vez a un dirigente religioso lo acusaban de recibir dinero del narcotráfico y él decía que usaba el dinero para el bien y no preguntaba de dónde venía. Eso está mal.[14]

LA MARATÓN DEL ÉXITO

En esta espiritualidad del camino también es grande la tentación de traicionar el llamado a marchar como pueblo, renunciando al mandato de la peregrinación para correr alocadamente la maratón del éxito. De esta manera hipotecamos nuestro estilo, sumándonos a la cultura de la exclusión, en la que ya no hay lugar para el anciano, el niño molesta, no hay tiempo para detenerse al borde del camino. La tentación es grande, sobre todo porque se apoya en los nuevos dogmas modernos como la eficiencia y el pragmatismo. Por ello, hace falta mucha audacia para ir contra la corriente, para no renunciar a la utopía posible de que sea precisamente la inclusión la que marque el estilo y ritmo de nuestro paso.[15]

PROGRESISMOS ADOLESCENTES

Así sucede cuando la ideología centra toda la actividad humana y se impone con un dogmatismo que no conoce de memoria ni de realidad ni de visión. Los actuales «progresismos adolescentes» bloquean todo real progreso humano y, en aras de un pretendido progreso pero sin la fuerza de la memoria, la realidad y la visión, configuran totalitarismos de diverso estilo pero tan crueles como los del siglo XX; totalitarismos conducidos por los «democráticos» gurúes del pensamiento único. Confunden el proceso de maduración de las personas y de los pueblos con una fábrica de conserva en lata.[16]

Desde el ámbito de los padres (o quienes ocupen su lugar) también reconocemos que han perdido protagonismo en la educación de sus hijos y han pasado a ser espectadores. En gran medida por no hacerse cargo de los chicos, ya sea por duda, desconocimiento u otros tantos motivos. Aquí también se puede hablar de un desfasaje de la autoridad hacia el «dialoguismo superficial» que, en el fondo, evita el encuentro.

La formación interior, la del corazón, la más interna de los chicos y de los jóvenes ha cambiado de mano. No está en las manos de los padres, sino en manos de profesionales. Hay un problema de aprendizaje y se recurre al psicólogo. Y aun, luego de conocidas las causas, muchas veces se pone remedio, recurriendo a nuevos profesionales que no son docentes. No niego ni descarto la ayuda profesional. Simplemente menciono este «cambio de mano» en la conducción armónica interior.

Suele decirse que antiguamente el padre hacía una transferencia de autoridad cuando llevaba su hijo a la escuela. Lo dejaba en manos del maestro y le decía además que no le mezquine un bife si hacía falta. ¿Se imaginan hoy en día algo así? Ya en su casa, se reforzaba aquella acción de transferencia de autoridad y se estaba al tanto de todo cuanto ocurría en la escuela, sin tener la posibilidad en muchos casos de manejar los contenidos que el maestro utilizaba en el aula.

Los padres o quienes ocupan ese lugar hoy, con más posibilidades de manejar los contenidos áulicos, han permitido que se aleje de sus manos la columna vertebral de la formación. No está en las manos de ellos sino de otros, que se tornan ajenos a la familia y en definitiva a la realidad personal. Al no haber encuentro con la autoridad paternal no se da la transparencia de la autoridad, y el corazón de los chicos se torna (despolitizo la palabra) etimológicamente anárquico.[17]

UNA ANTROPOLOGÍA INTRASCENDENTE

En el cristianismo, a una concepción bastante peculiar de lo que es «trascendencia». ¡Una trascendencia que no está «afuera» del mundo! Situarnos plenamente en nuestra dimensión trascendente no tiene nada que ver con separarnos de las cosas creadas, con «elevarnos» por sobre este mundo. Consiste en reconocer y vivir la verdadera «profundidad» de lo creado. El misterio de la Encarnación es el que marca la línea divisoria entre la trascendencia cristiana y cualquier forma de espiritualismo o trascendentalismo gnóstico.

En ese sentido, lo contrario a una concepción trascendente del hombre no sería sólo una visión «inmanente» del mismo, sino una «intrascendente». Esto puede parecer un juego de palabras. Porque «intrascendente» significa, en el lenguaje común y corriente, algo sin importancia, fugaz, que «no nos deja nada», algo de lo cual podríamos prescindir sin perdernos nada. Pero no nos confundamos: ese «juego de palabras» no es él mismo intrascendente. Revela una verdad esencial. Cuando el hombre pierde su fundamento divino, su vida y toda su existencia empieza a desdibujarse, a diluirse, a volverse «intrascendente». Cae por tierra aquello que lo hace único, imprescindible. Pierde su fundamento todo lo que hace de su dignidad algo inviolable. Y a partir de ahí, un hombre vuelto «intrascendente» pasa a ser una pieza más en cualquier rompecabezas, un peón más en el ajedrez, un insumo más en todo tipo de cadena de producción, un número más. Nada trascendente, sólo uno más de muchos elementos todos ellos intrascendentes, todos ellos in-significantes en sí mismos. Todos ellos intercambiables.

Este modo intrascendente de concebir a las personas lo hemos visto y lo vemos todos los días. Niños que viven, se enferman y mueren en las calles y a nadie le importa. Un «cabecita» más o menos, o peor aún, un «pibe chorro» menos (como pude escuchar horrorizado de labios de un «comunicador» en la televisión), ¿qué importancia tiene? Una chica secuestrada de su casa y esclavizada ignominiosamente en los circuitos de prostitución que impunemente proliferan en nuestro país, ¿por qué habría de quitarnos el sueño? Es sólo una más... Un niño al cual no se le permite nacer, una madre a la cual nadie da una mano para que pueda hacerse cargo de la vida que brota de ella, un padre al que la amargura de no poder brindar a sus hijos lo que a ellos les correspondería lo lleva a la desesperación o a la indiferencia... ¿qué importancia tiene todo esto si no afecta a los números y estadísticas con que nos consolamos y tranquilizamos?

No hay peor antropología que una antropología de la intrascendencia para la cual no hay diferencias: con la misma vara con que se mide cualquier objeto, se puede medir a una persona. Se calculan «gastos», «daños colaterales», «costos»... que solamente empiezan a «trascender» en las decisiones cuando los números abultan: demasiados desocupados, demasiados muertos, demasiados pobres, demasiados desescolarizados... Frente a esto ¿qué pasa si caemos en la cuenta de que una antropología de la trascendencia se ríe de esos números mezquinos y sostiene, sin que le tiemble el pulso, que cada uno de esos pequeños tiene una dignidad infinita? Que cada uno de ellos es infinitamente trascendente: lo que se haga o se deje de hacer con cada uno de ellos, se lo hace con el mismo Cristo... ¡con el mismo Dios!

A esta luz, comprendemos de un modo nuevo aquella sentencia del Señor según la cual «no se puede servir a Dios y al Dinero». No se trata sólo de una cuestión de ascesis personal, de un ítem junto a otros para el examen de conciencia. El dinero es la «medida universal de todas las cosas», en el mundo moderno. Todo tiene un precio. El valor intrínseco de cada cosa se uniforma en un signo numérico. ¿Recuerdan que hace ya varios años se decía que desde el punto de vista económico era lo mismo producir tanques o caramelos, mientras los números fueran iguales? Del mismo modo, sería lo mismo vender drogas o libros, si los números cierran. Si la medida del valor es un número, todo da lo mismo mientras el número no varíe. La medida de cada ser humano es Dios, no el Dinero. Eso es lo que quiere decir «dignidad trascendente». Las personas no se pueden «contar» ni «contabilizar». No hay reducción posible de la persona a un denominador común (numérico o como se quiera) entre sí y con otras cosas del mundo.

Cada uno es único. Todos importan totalmente y singularmente. Todos nos deben importar. Ni una sola violación a la dignidad de una mujer o un hombre puede justificarse en nombre de ninguna cosa o idea. De ninguna.[18]

CULTURA DEL DESENCUENTRO

Diariamente respiramos desencuentros; nos hemos acostumbrado a vivir en la cultura del desencuentro, en la que nuestras pasiones, nuestras desorientaciones, enemistades y conflictos nos enfrentan, nos deshermanan, nos aíslan, nos cristalizan en ese individualismo estéril que se nos propone como camino de vida todos los días. [...] Así nos quiere la propuesta cultural del paganismo actual en el mundo y en nuestra ciudad: solos, quietos, al final de un camino de ilusión que se transforma en sepulcro, muertos en nuestra frustración y egoísmo estériles,. Hoy necesitamos que la fuerza de Dios nos conmueva, que haya un gran temblor de tierra, que un Ángel haga rodar la piedra en nuestro corazón, esa piedra que impide el camino, que haya relámpago y mucha luz. Hoy necesitamos que nos sacudan el alma, que nos digan que la idolatría del quietismo culturoso y posesivo no da vida. Hoy necesitamos que, después de ser sacudidos por tantas frustraciones, lo volvamos a encontrar a Él y nos diga «No teman», pónganse de nuevo en camino, vuelvan a la Galilea del primer amor. Necesitamos reanudar la marcha que comenzó nuestro padre Abraham y que nos señala este Cirio Pascual. Hoy necesitamos encontrarnos con Él; que lo encontremos y Él nos encuentre.[19]

LA RELIGIÓN, REDUCIDA AL ÁMBITO DE «LO CONTROLABLE»

Existe un momento en la experiencia de la relación con Jesús, en el cual el estupor que produce el encuentro con Él, todo encuentro con Él, hace tambalear la seguridad humana, y el corazón teme dilatarse en el gozo de ese encuentro, se asusta y retrocede refugiándose en lo que podríamos llamar el autocontrol, el tomar las riendas de la relación con el Señor, acomodándola a los parámetros de cierta sensatez y sentido común meramente humanos. Lucas describe genialmente esta experiencia en la aparición del Señor Resucitado a los discípulos: «Era tal la alegría y la admiración de los discípulos, que se resistían a creer» (Lc. 24, 41). Miedo a la alegría, miedo a la autodonación de sí que supone el encuentro con Jesucristo, miedo a dejarse conducir por el Espíritu.

El señorío que nos fue dado en la creación (Gen. 1, 28) reclama sus derechos: el hombre quiere conducir y controlar él la relación con Dios, pero se olvida que su señorío está herido por el pecado. De ahí el reduccionismo de la experiencia religiosa al ámbito de lo controlable. En esta dirección apunta la advertencia de Jesús a sus interlocutores: «Trabajen no por el alimento perecedero, sino por el que permanece hasta la vida eterna, el que os dará el Hijo del hombre, porque es a él a quien Dios, el Padre, marcó con su sello» (Jn. 6, 27). Jesús siembra una nueva levadura en este señorío herido, y nos recuerda que la tarea consiste en realizar las obras de Dios que es creer en Aquél que él ha enviado (cfr. Jn. 6, 28-29). En medio de esa vacilación de querer refugiarnos en nuestro señorío enfermo el Señor planta la bandera de la fe, como lo hizo la mañana de la Resurrección (cfr. Lc. 24, 39-40). Juan, años más tarde y en medio de las persecuciones, glosará estas palabras del Señor: «La victoria que triunfa sobre el mundo es nuestra fe. ¿Quién es el que vence al mundo sino el que cree que Jesús es el Hijo de Dios? (I Jn. 5, 4-5) .[20]

LOS MERCADERES DE LAS TINIEBLAS

Caminen por la luz, no se dejen seducir por los mercaderes de las tinieblas; abran su corazón a la luz aunque cueste. No se dejen encadenar por esas promesas que parecen de libertad y son de opresión; las promesas del gozo fatuo, las promesas de las tinieblas. Sigan adelante. El mundo es de ustedes. Vívanlo en la luz. Y vívanlo con alegría porque el que camina en la luz tiene un corazón alegre. [...]

Las propuestas de las tinieblas están al alcance de la mano... las tinieblas de la media verdad; la tiniebla gnóstica de la experimentación con los chicos... (experimentemos este método a ver cómo sale y el chico tiene una educación de probeta y si salió mal, ¡pobrecito, fracasó!) Eso es tiniebla: con los chicos no se experimenta. La tiniebla del abandono: cuantos chicos y chicas «abandónicos» recibimos en nuestras aulas! Abandonados de cariño, diálogo, alegría y que no saben lo que es jugar con papá y mamá. La propuesta del atajo fácil, de la satisfacción al alcance de la mano, la propuesta del alcohol, la propuesta de la droga... y eso es tiniebla. La propuesta de la droga... no tienen idea de lo grave que es esta propuesta tenebrosa, esta corrupción que llega incluso a repartirse en las esquinas de las escuelas.[21]

HOMBRES TRATADOS COMO MERCANCÍA

Estos hombres y mujeres, chicos y chicas, que no caben, que son material de descarte, que son despreciados, se los trata como mercadería. Son objeto de trata. Y hoy podemos decir que en esta ciudad los talleres clandestinos, con los cartoneros, en el mundo de la droga, en el mundo de la prostitución, existe la trata de personas. Por eso la Palabra de Dios nos dice:»Grita con fuerza y sin miedo» y yo hoy digo:»Gritemos con fuerza y sin miedo». No a la esclavitud. No a los que sobran. No a los chicos, hombres y mujeres como material de descarte. Es nuestra carne la que está en juego! Es nuestra carne la que se vende! La misma carne que tengo yo, que tenés vos, está en venta! Y no te vas a conmover por la carne de tu hermano? «No, es que no es igual que yo»... Es tu hermano, es tu carne.

¡Hoy Dios nos dice lo mismo que le decía a Caín! «Caín: ¿dónde está tu hermano?» (lo había matado). Y Caín con un gran cinismo, le contesta: «¡Qué se yo! Acaso soy yo el custodio de mi hermano?» ¡Esta gran ciudad de Buenos Aires contesta así muchas veces! «¿Qué me importa, acaso yo me tengo que ocupar de todo?» ¡Es tu hermano, es tu carne, es tu sangre!... Nos hemos endurecido, hemos perdido el corazón. Buenos Aires se olvidó de llorar porque vende a sus hijos, Buenos Aires se olvidó de llorar porque excluye a sus hijos, Buenos Aires se olvidó de llorar porque esclaviza a sus hijos... Y hoy nos miramos la cara. Alguno podrá decir: Bueno, el cura nos va a decir que recemos. Lo único que les digo hoy es mirémonos las caras, reconozcamos en nuestro hermano la dignidad y luchemos para que esa dignidad sobreviva. Y abramos el corazón al llanto, a ese llanto que pide perdón por ese crimen de la trata de personas. Y no estoy inventando cosas porque estuve escuchando lo que me han contado: los talleres clandestinos, sometimiento de menores en la prostitución, tráfico de drogas... Todo ese mundo de la coima que cubre y hace lícito que esto sea posible.[22]

HACER COMO SI JESUCRISTO NO EXISTIERA...

Una cosa es ser pagano si uno nació en una cultura que no conoce aún la verdad del Evangelio y la bondad de Jesucristo. Pero para nosotros, hacer como si Jesucristo no hubiera venido a salvarnos, es dar un paso muy atrás. Es como negar a nuestros padres y a nuestros abuelos. Es como querer no tener historia. Es como si eligiéramos ser huérfanos, gente desamparada, que tiene que empezar de cero sin contar con el tesoro de la sabiduría de nuestros mayores. Al hacer como si Jesucristo no existiera, al relegarlo a la sacristía y no querer que se meta en la vida pública, negamos tantas cosas buenas que el cristianismo aportó a nuestra cultura, haciéndola más sabia y justa; a nuestras costumbres, haciéndolas más alegres y dignas...[23]

LA DICTADURA DEL RELATIVISMO

Esta «locura» del mandamiento del amor que propone el Señor y nos defiende en nuestro ser aleja también las otras «locuras» tan cotidianas que mienten y dañan y terminan impidiendo la realización del proyecto de Nación: la del relativismo y la del poder como ideología única. El relativismo que, con la excusa del respeto de las diferencias, homogeiniza en la transgresión y en la demagogia; todo lo permite para no asumir la contrariedad que exige el coraje maduro de sostener valores y principios. El relativismo es, curiosamente, absolutista y totalitario, no permite diferir del propio relativismo, en nada difiere con el «cállese» o «no te metas».

El poder como ideología única es otra mentira. Si los prejuicios ideológicos deforman la mirada sobre el prójimo y la sociedad según las propias seguridades y miedos, el poder hecho ideología única acentúa el foco persecutorio y prejuicioso de que «todas las posturas son esquemas de poder» y «todos buscan dominar sobre los otros». De esta manera se erosiona la confianza social que, como señalé, es raíz y fruto del amor.[24]

ANCIANOS ABANDONADOS POR NO ACEPTAR SUS LIMITACIONES

Y también los ancianos son abandonados, y no sólo en la precariedad material. Son abandonados en la egoísta incapacidad de aceptar sus limitaciones que reflejan las nuestras, en los numerosos escollos que hoy deben superar para sobrevivir en una civilización que no los deja participar, opinar ni ser referentes según el modelo consumista de «sólo la juventud es aprovechable y puede gozar». Esos ancianos que deberían ser, para la sociedad toda, la reserva sapiencial de nuestro pueblo.[25]

SALVAR LA FAMILIA

La Iglesia trata de mostrar a la mentalidad moderna que la familia fundada en el matrimonio tiene dos valores esenciales para toda sociedad y para toda cultura: la estabilidad y la fecundidad. Muchos en las sociedades modernas tienden a considerar y a defender los derechos del individuo, lo cual es muy bueno. Pero no por eso se debe olvidar la importancia que tienen para toda sociedad —cristiana o no— los roles básicos que se dan sólo en la familia fundada en el matrimonio. Roles de paternidad, maternidad, filiación y hermandad que están en la base de cualquier sociedad y sin los cuales toda sociedad va perdiendo consistencia y se va volviendo anárquica. [...]

La revelación del Dios Trino y Uno que nos anuncia Jesucristo, encuentra en las familias de cada pueblo su mejor interlocutor. ¿Por qué? Porque la familia es el ámbito estable y fecundo de gratuidad y amor donde la Palabra puede ser acogida y rumiada poco a poco y crecer como una semilla que se vuelve árbol grande. ¿Por qué? Porque los roles que interactúan en la familia y que son esenciales para la vida personal y social, son también esenciales en Dios mismo: la vida familiar permite recibir la revelación del amor familiar de Dios de manera inteligible: es la fe que se nos mezcla con la leche materna. Por algo el camino que eligió el mismo Señor para revelarse y salvarnos fue poner su morada en medio de la historia de los hombres en ese centro de comunión y participación, en esa primera Iglesia, que fue la Sagrada Familia de Nazareth. [...]

La familia es, naturalmente, el lugar de la palabra. La familia se constituye con las palabras fundamentales del amor, el sí quiero, que establece alianza entre los esposos para siempre. En la familia el bebé se abre al sentido de las palabras gracias al cariño y a la sonrisa materna y paterna y se anima a hablar. En la familia la palabra vale por la persona que la dice y todos tienen voz, los pequeños, los jóvenes, los adultos y los ancianos. En la familia la palabra es digna de confianza porque tiene memoria de gestos de cariño y se proyecta en nuevos y cotidianos gestos de cariño. Podemos sintetizar nuestras reflexiones diciendo que la familia es el lugar de la palabra porque esta centrada en el amor. Las palabras dichas y escuchadas en la familia no pasan sino que giran siempre alrededor del corazón, iluminándolo, orientándolo, animándolo. El consejo paterno, la oración aprendida leyendo los labios maternos, la confidencia fraterna, los cuentos de los abuelos... son palabras que constituyen el pequeño universo centrado en cada corazón.[1]

SOBRE EL LLAMADO «MATRIMONIO» HOMOSEXUAL EN ARGENTINA

No seamos ingenuos: no se trata de una simple lucha política; es la pretensión destructiva al plan de Dios. No se trata de un mero proyecto legislativo (éste es sólo el instrumento) sino de una movida del Padre de la Mentira que pretende confundir y engañar a los hijos de Dios.[2]

UN RETROCESO ANTROPOLÓGICO

No se trata de una cuestión de mera terminología o de convenciones formales de una relación privada, sino de un vínculo de naturaleza antropológica. La esencia del ser humano tiende a la unión del hombre y de la mujer como recíproca realización, atención y cuidado, y como el camino natural para la procreación. Esto confiere al matrimonio trascendencia social y carácter público. El matrimonio precede al Estado, es base de la familia, célula de la sociedad, anterior a toda legislación y anterior a la misma Iglesia. De ahí que la aprobación del proyecto de ley en ciernes significaría un real y grave retroceso antropológico.

No es lo mismo el matrimonio (conformado por varón y mujer) que la unión de dos personas del mismo sexo. Distinguir no es discriminar sino respetar; diferenciar para discernir es valorar con propiedad, no discriminar. En un tiempo en que ponemos énfasis en la riqueza del pluralismo y la diversidad cultural y social, resulta una contradicción minimizar las diferencias humanas fundamentales. No es lo mismo un padre que una madre. No podemos enseñar a las futuras generaciones que es igual prepararse para desplegar un proyecto de familia asumiendo el compromiso de una relación estable entre varón y mujer que convivir con una persona del mismo sexo.

Tengamos cuidado de que, tratando anteponer y velar por un pretendido derecho de los adultos dejemos de lado el prioritario derecho de los niños (que deben ser los únicos privilegiados) a contar con modelos de padre y madre, a tener papá y mamá.[3]

UNA EDUCACIÓN SEXUAL QUE EDUQUE EN EL AMOR

La Iglesia no se opone a la educación sexual. Personalmente, creo que debe haberla, a lo largo de todo el crecimiento de los chicos, adaptada a cada etapa. En verdad, la Iglesia siempre impartió educación sexual, aunque acepto que no siempre lo hizo de un modo adecuado. Lo que pasa es que, actualmente, muchos de los que levantan las banderas de la educación sexual la conciben separada de la persona humana. Entonces, en vez de contarse con una ley de educación sexual para la plenitud de la persona, para el amor, se cae en una ley para la genitalidad. Ésa es nuestra objeción. No queremos que se degrade a la persona humana. Nada más.[4]

Sobre los divorciados vueltos a casar

Que se integren a la comunidad parroquial, que trabajen allí, porque hay cosas en una parroquia que las pueden hacer ellos. Que busquen ser parte de la comunidad espiritual, que es lo que aconsejan los documentos pontificios y el magisterio de la Iglesia. El Papa señaló que la Iglesia los acompaña en esta situación. Es cierto que a algunos les duele no poder comulgar. Lo que hace falta en estos casos es explicarles bien las cosas. Existen casos en que esto resulta complicado. Es una explicación teológica que algunos sacerdotes exponen muy bien y la gente entiende.[5]

EL PODER: O SERVICIO, O RIDÍCULO

¡MIREN A LOS COSTADOS!

La mirada de Salomón era hacia arriba, la mirada que nos enseña Jesús, a quienes tenemos alguna responsabilidad de gobierno, es también hacia los costados. ¡Miren a los costados! Y gobernar, es servir a cada uno de estos hermanos que conforman nuestro pueblo.

La palabra de Dios es muy sencilla, cuando uno se olvida de mirar a lo alto y de pedir sabiduría, cae en ese defecto tan nefasto: la suficiencia. Y de la suficiencia a la vanidad, al orgullo... no tiene sabiduría. Cuando uno se olvida de mirar a los costados, se mira a sí mismo, o mira a su entorno, se olvida de su pueblo o cae en la tentación de ver a su pueblo a través de las múltiples mediaciones, que quizás sirvan como funcionales, pero que no tocan el corazón. Y a quienes se nos da la misión de servir gobernando, se nos pide que nunca dejemos de mirar a lo alto, para no caer en la suficiencia y nunca dejemos de mirar a los costados, para no olvidarnos de nuestro pueblo.[1]

INCAPACIDAD PARA SENTIR CULPA

En esta tierra bendita, nuestras culpas parecen haber achatado nuestras miradas. Un triste pacto interior se ha fraguado en el corazón de muchos de los destinados a defender nuestros intereses, con consecuencias estremecedoras: la culpa de sus trampas acucia con su herida y, en vez de pedir la cura, persisten y se refugian en la acumulación de poder, en el reforzamiento de los hilos de una telaraña que impide ver la realidad cada vez más dolorosa. Así el sufrimiento ajeno y la destrucción que provocan tales juegos de los adictos al poder y a las riquezas, resultan para ellos mismos apenas piezas de un tablero, números, estadísticas y variables de una oficina de planeamiento. A medida que tal destrucción crece, se buscan argumentos para justificar y demandar más sacrificios escudándose en la repetida frase «no queda otra salida», pretexto que sirve para narcotizar sus conciencias. Tal chatura espiritual y ética no sobreviviría sin el refuerzo de aquellos que padecen otra vieja enfermedad del corazón: la incapacidad de sentir culpa. Los ambiciosos escaladores, que tras sus diplomas internacionales y su lenguaje técnico, por lo demás tan fácilmente intercambiable, disfrazan sus saberes precarios y su casi inexistente humanidad.[2]

EL PODER: O SERVICIO, O RIDÍCULO

La escena de Jesús, el Maestro, lavando los pies a sus discípulos, es una de esas escenas del evangelio que uno no se cansa de mirar y recordar. El lavatorio de los pies ha quedado grabado en la memoria de la Iglesia y cada Jueves santo repetimos el gesto de Jesús y nos toca de nuevo el corazón: Nuestro Señor Jesucristo nos lavó los pies y nos enseñó que si lo imitamos seremos felices: «Si saborean esta verdad —que el poder es servicio— y la practican, serán felices».

San Juan le pone un marco impresionante a este gesto del Señor. Nos dice que Jesús tenía conciencia de que era «su último gesto», porque «había llegado su hora de pasar de este mundo al Padre». El Señor quiso expresamente que su último gesto fuera éste de lavarle los pies a sus amigos. Los pies polvorientos y fatigados de camino.

En segundo lugar Juan nos dice que fue un gesto de amor

«hasta el extremo». Solemos decir que la Cruz fue el extremo del amor. Y es verdad; fue el extremo cruento: amar hasta la muerte. Pero la vida tiene también otro extremo, que no es doloroso sino lindo: el extremo de amar con ternura hasta el detalle. El Señor quiso que compartieran la Eucaristía plenamente purificados, como si ya estuvieran en el cielo, limpiándolos hasta de esas pequeñas manchas que parecen inevitables, las de último momento... Y quiso hacer este servicio personalmente. ¿Vieron que hay veces en que en las fiestas grandes, un detalle amenaza con arruinar la fiesta? Bueno, por ese lado va este servicio de Jesús de lavar los pies y de decirnos que nos lavemos unos a otros: por el lado de perdonar también los detalles, que a veces es más difícil.

Y la tercera cosa que nos dice Juan es que el Señor era conciente de que en ese momento «tenía todo el poder del mundo en sus manos», que «el Padre lo había puesto todo en sus manos». Y ¿qué hizo con ese poder absoluto? Lo concentró en un solo gesto, en un gesto de servicio: el servicio del perdón hasta en los detalles. Y desde entonces el poder se convirtió para siempre en servicio. Si el más poderoso usó todo su poder para servir y perdonar, el que lo usa para otra cosa termina haciendo el ridículo. Con ese gesto sencillo Jesús «derribó a los poderosos de sus tronos y elevó a los humildes» como bien decía la Virgen su Madre santísima y Madre nuestra. Por supuesto que los poderosos no se enteraron sino mucho después, pero con ese gesto del Rey del Universo quedaron vaciados de sentido todos los gestos que se hagan para acumular poder, para aparentar poder, para someter a otros o enriquecerse con el poder.

La antiimagen, la imagen opuesta, que refuerza el testimonio del Señor, es la de Pilato lavándose las manos. Si hubiera sabido que tenía delante al Todopoderoso y que el Todopoderoso había usado su poder para lavarles los pies a sus discípulos, ¡nunca se hubiera lavado las manos! Con ese gesto entró para siempre en la historia del ridículo. Y cada vez que los que tenemos algún poder nos lavamos las manos y le echamos la culpa a otros — a los hijos, a los padres, al vecino, a los anteriores, a la situación mundial, a la realidad, a las estructuras o a lo que fuere— aunque sea del sufrimiento más pequeño de nuestros hermanos, nos ponemos del lado de Pilato: vamos a engrosar la fila patética de los que usaron el poder para su propio provecho y fama. [...]

Con San Cayetano le pedimos a la Virgen, quien como Madre le enseñó a Jesús esto de lavar pies, que nos lo enseñe a nosotros, que nos lo grabe bien en la memoria, para que cada vez que la vida nos pone ante la opción entre servir incluyendo o aprovecharnos excluyendo, entre lavar los pies a otro o lavarnos las manos ante la situación de los otros, se nos venga a los ojos esta imagen de Jesús y la alegría del servicio se adueñe de nuestro corazón y nos anime a trabajar por el Reino.[3]

LA HISTORIA NUNCA ESTÁ «TERMINADA»

La fe en Dios Creador nos dice que la historia de los hombres no es un vacío sin orillas: tiene un inicio y tiene también una dirección. El Dios que creó «el cielo y la tierra» es el mismo que hizo una Promesa a su pueblo, y su poder absoluto es la garantía de la eficacia de su Amor. La fe en la creación, de este modo es soporte de la esperanza. La historia humana, nuestra historia, la historia de cada uno de nosotros, de nuestras familias, de nuestras comunidades, la historia concreta que construimos día a día en nuestras escuelas, nunca está «terminada», nunca agota sus posibilidades, sino que siempre puede abrirse a lo nuevo, a lo que hasta ahora no se había tenido en cuenta. A lo que parecía imposible. Porque esa historia forma parte de una creación que tiene sus raíces en el Poder y el Amor de Dios.[4]

EL SECRETO DE LA COMUNICACIÓN

Los periodistas se presentan siempre ante la sociedad como «buscadores de la verdad». Quien ama y busca la verdad no permite que se la convierta en mercancía y no deja que se la tergiverse o se la oculte. Además, quien realmente se interesa por la verdad está siempre atento a las reacciones de quienes reciben la información, procura el diálogo, el punto de vista diferente. El que busca la verdad es humilde; sabe que es difícil hallarla y sabe también que es más difícil encontrarla cuando uno la busca en soledad. La verdad se encuentra con otros. La verdad se anuncia con otros. Así como falsificar la verdad nos aísla, nos separa, nos enfrenta; buscarla nos une, nos acerca, nos aproxima; y encontrarla nos llena de alegría y nos hermana. [...]

Cuando lo que se busca es la verdad entonces también necesariamente se buscará el bien. La verdad y el bien se potencian entre sí. Cuando realmente se busca la verdad se lo hace para el bien. No se busca la verdad para dividir, enfrentar, agredir, descalificar, desintegrar. [...]

También es bueno recordar en nuestros días que la verdad y el bien van siempre acompañados de la belleza. Pocas cosas hay más conmovedoramente humanas que la necesidad de belleza que tienen todos los corazones. La comunicación es más humana cuanto más bella. [...]

Me gusta categorizar este poder que tienen los Medios con el concepto de projimidad. Su fuerza radica en la capacidad de acercarse y de influir en la vida de las personas con un mismo lenguaje globalizado y simultáneo. [...]

Cuando las imágenes y las informaciones tienen como único objetivo inducir al consumo o manipular a la gente para aprovecharse de ella, estamos destruyendo la projimidad, alejándonos unos de otros. Esta sensación se tiene muchas veces ante el bombardeo de imágenes seductoras y de noticias desesperanzadoras que nos dejan conmocionados e impotentes para hacer algo positivo. Nos ponen en el lugar de espectadores, no de prójimos. El dolor y la injusticia presentados con una estética desintegradora instala en la sociedad la desesperanza de poder descubrir la verdad y de poder hacer el bien en común.

Cuando la noticia sólo nos hace exclamar «¡que barbaridad!» e inmediatamente dar vuelta la página o cambiar de canal, entonces hemos destruido la projimidad, hemos ensanchado aún más el espacio que nos separa.[5]

ALMAS SACERDOTALES

Un gesto de padre

Ungir es un gesto que se hace con todo el ser, con las manos, con el corazón, con la palabra. Es un gesto de donación total, un gesto que quiere ser fecundo y vital. Un gesto de Padre.

Por eso los que hemos sido ungidos, de manera especial los que hemos sido ungidos como sacerdotes, suplicamos al Padre que, por favor, nos enseñe a ungir a nuestros hermanos con corazón de padres. Padre es quien se brinda enteramente a su familia, en todo y para siempre: cuando abraza, abraza a todos, justos y pecadores; cuando reparte no se guarda nada: «Hijo, todo lo mío es tuyo». Por eso cuando perdona no mezquina sino que festeja a lo grande. Cuando espera no se cansa, espera siempre, espera cada día, espera todo lo que haga falta y a todos sus hijos.

Queridos sacerdotes: mi deseo y oración en esta Eucaristía es que, al renovar las promesas que hicimos el día de nuestra ordenación, nuestro Padre del Cielo nos renueve la gracia de tener estos gestos de unción, estos gestos sacerdotales y paternales.

Queremos tratarnos entre nosotros como ungidos en todo momento: en el trabajo, trabajando unidos codo a codo en el servicio de nuestro pueblo fiel; en la oración, respirando el mismo perfume de la sana doctrina del Evangelio que nos hace uno con Jesús y con el Padre; en la entrega, dándonos por entero a los demás; y también en las dificultades y conflictos que suelen suscitarse entre nosotros sacerdotes:... especialmente allí, en esos conflictos, queremos tener aquella unción que le hacía decir a David, en medio de sus luchas con Saúl: «líbreme el Señor de levantar la mano contra el ungido del Señor» (1 Re 26 11) para que, así, abundemos en respeto y concordia fraterna.[1]

CONSAGRACIÓN, FECUNDIDAD Y COSITA

La vida consagrada sólo tiene sentido a la luz de la paternidad y maternidad, es decir a la luz de la fecundidad, según el estilo de la familia consagrada a la que uno pertenece; pero sin fecundidad somos un pensionado de personas con cultura religiosa, más o menos piadosas, trabajadoras quizás, pero no consagradas.

La consagración nos unge en la fecundidad, como la madre del Señor fue fecunda, en su salvación y como la Iglesia es fecunda.

Y la fecundidad implica esa generosidad más honda, de despojarse continuamente para dar vida a otros. La misma vida de despojo es la que da vida; no del despojo pelagiano egoísta, en última instancia que rinde culto a la propia personalidad, sino el despojo de un padre y de una madre que solamente camina despojándose para que otro tenga vida y su propia vida tiene sentido en la medida que puede darla a los demás y hacerla crecer en los demás. A la luz de esta Palabra que hoy la Iglesia nos pone delante mirando a la Virgen, a la luz de lo que es nuestra madre la Iglesia, miramos lo que es nuestra alma de consagrados. Es fecunda. Siempre la vida consagrada va a tener la tentación, del maquillaje, del ensimismarse en el propio proyecto, en el propio plano, en la propia obra, en la cosita. Y es ahí cuando la vida consagrada pierde sentido. Gente buena, muy buena, pero sin hijos. Y al decir sin hijos digo sin esperanza, porque lo que tiene un padre y una madre cuando trae un hijo al mundo, cuando juega lo más íntimo de sí para otra vida, es la esperanza de que esa vida que trae al mundo, esa vida que suscita en el Señor, en el caso nuestro, crecerá, será adulto, me hará sombra me sobrepasará, y me cerrará los ojos.

Una vida consagrada fecunda, es una vida consagrada esperanzada, que cree que por sus entrañas del espíritu, pasa la fuerza del Espíritu, que da vida a otros.

Una vida consagrada fecunda es una vida consagrada que mira más allá de las puertas de su convento, tiene horizontes más amplios y se plantea continuamente qué le dice el Señor a través de las cosas que le van sucediendo cada día, qué vida le está pidiendo el Señor a través de los mil y un acontecimientos diarios, en la intimidad de la oración y en el compartir de la vida comunitaria. Qué me pide Jesús hoy para dar vida. Horizontes amplios, horizontes más allá de nuestras narices. Y esta es la misión que los consagrados y las consagradas tenemos en la Iglesia, reflejar la fecundidad de la madre Iglesia, reflejar la fecundidad de la madre María en nuestra propia fecundidad. Reflejar la esperanza de la Iglesia, reflejar el coraje apostólico de la Iglesia, que no se queda encerrado rindiendo culto a sí mismo, a su cosita, a su obrita, a su propio organigrama.[2]

APERTURA Y FIDELIDAD

Ser un sacerdote abierto quiere decir «que es capaz de escuchar aunque se mantenga firme en sus convicciones». Una vez un hombre de pueblo me definió a un cura diciendo una frase sencilla: «Es un cura que habla con todos». No hace acepción de personas, quería decir. Le llamaba la atención que pudiera hablar «bien» con cada persona y lo distinguía claramente tanto de los que sólo hablan bien con algunos, como de los que hablan con todos diciéndoles que sí a todo.

Esto es así porque la apertura va junto con la fidelidad. Y es propio de la fidelidad ese único movimiento por el cual, por una parte se abre enteramente la puerta del corazón a la persona amada y, por otra, se le cierra esa misma puerta a todo el que amenace ese amor. De ahí que abrirle la puerta al Señor implica abrírsela a los que Él ama: a los pobres, a los pequeños, los descarriados, los pecadores ... A toda persona, en definitiva. Y cerrár-

sela a los «ídolos»: al halago fácil, a la gloria mundana, a las con-
cupiscencias, al poder, a la riqueza, a la maledicencia y —en la
medida en que encarnen estos disvalores— a las personas que
quieren entrar en nuestro corazón o en nuestras comunidades
para imponerlos. [...]

La apertura evangélica se juega en los lugares de entrada: en la
puerta de las iglesias que, en un mundo donde los *shoppings* no
cierran nunca, no pueden permanecer muchas horas cerradas,
aunque haya que pagar vigilancia y bajar al confesionario más se-
guido; en esa puerta que es el teléfono, cansador e inoportuno en
nuestro mundo supercomunicado, pero que no puede quedar
largas horas a merced de un contestador automático. Pero estas
puertas son más bien externas y «mediáticas». Son expresión de
esa otra puerta que es nuestra cara, que son nuestros ojos, nuestra sonrisa, el ralentar un poco el paso y animarse a mirar al que
sabemos que está esperando ... En el confesionario uno sabe que
la mitad de la batalla se gana o se pierde en el saludo, en la manera de recibir al penitente, especialmente al que da una miradita
y tiene un gesto como diciendo «¿puedo?». Una acogida franca,
cordial, cálida termina de abrir un alma a la que el Señor ya le
hizo asomarse a la mirilla. En cambio, un recibimiento frío, apu-
rado o burocrático hace que se cierre lo entreabierto. Sabemos
que nos confesamos de diversa manera según el cura que nos toque ... y la gente también.[3]

LAS ALEGRÍAS DEL SACERDOTE

En las categorías del evangelio podemos afirmar sin temor que
un corazón sacerdotal fuerte es el que es capaz de saltar de júbilo
al contemplar, por ejemplo, cómo sus catequistas dan clase a los
más pequeños o sus jóvenes salen de noche a atender a quienes
no tienen hogar. Un corazón sacerdotal es fuerte si conserva la
capacidad de saltar de alegría ante el hijo pródigo que vuelve, a
quien estuvo esperando pacientemente en el confesionario. Un
corazón sacerdotal es fuerte si es capaz de dejar que se le vaya en-

cendiendo la alegría con la palabra del Jesús escondido que se nos hace compañero de camino, como les pasó a los de Emaús. No nos olvidemos: La alegría del Señor es nuestra fortaleza y nos protege contra todo espíritu de queja que es señal de falta de esperanza, y contra toda impaciencia, más propia de funcionarios que de corazones sacerdotales.[4]

EN MEDIO DE SU PUEBLO FIEL

Esta es la imagen que hoy quiero poner de relieve: la de Jesús en medio del pueblo fiel de Dios, la de Jesús sacerdote y buen pastor en medio de la Iglesia universal y local. Porque en esta imagen está la fuerza de nuestra identidad sacerdotal. El Señor quiere seguir estando, a través nuestro, sus sacerdotes, en medio de su pueblo fiel (del que formamos parte). [...]

Hoy, como entonces, el Señor nos invita a estar en medio de nuestro pueblo fiel, empapados de sus tradiciones y costumbres, sin pretensiones ni elitismos exteriores e ilustrados de ninguna clase, y con un corazón que nos queme por dentro para que el Espíritu renueve la faz de la tierra y encienda el fuego que el mismo Señor trajo.

Nos invita a ser sacerdotes que sientan Madre a la Iglesia. Sacerdotes que siguen enamorados de la Iglesia Santa e Inmaculada verdadera Esposa de Cristo, y no pierdan la mirada esperanzada del primer amor. Sacerdotes capaces de ver y sentir a la Iglesia católica como una y la misma, tanto en las grandes celebraciones como en lo escondido del confesionario. Sacerdotes con un corazón abierto como el de la Iglesia para recibir a todos, muy especialmente y con toda la ternura posible a los que nuestra sociedad excluye y olvida, confirmándolos en su dignidad de hijos amados del Padre. Sacerdotes que corrigen primero a la Iglesia en sí mismos, pidiendo perdón de sus pecados y alimentándose de la Eucaristía y de la Palabra, y recién después, fraternalmente como dice el evangelio, se animan a corregir algo en los demás, sin tirar nunca «perlas a los chanchos» que aprovechan nuestro manejo indiscreto de heridas o desaveniencias para lastimar y burlarse de nuestra Madre la Iglesia. Sacerdotes que convocan creativa e incansablemente a los que el Padre atrae y acerca a su Hijo. Sacerdotes que salen a buscar a los que Jesús ama para traerlos al rebaño. Sacerdotes que llevan al mundo el Espíritu que santifica y que hace Iglesia, y no permiten que se instale en sus vidas la mundanidad espiritual.[5]

MANOS MARCADAS

De este milagro de la desproporción, una linda imagen para llevarnos hoy en el corazón es la de las manos. La fiesta del Corpus es la fiesta de las manos: de las manos del Señor y de nuestras manos. De esas «santas y venerables manos» de Jesús, manos llagadas, que continúan bendiciendo y repartiendo el pan de la Eucaristía. Y de esas manos nuestras, necesitadas y pecadoras, que se extienden humildes y abiertas para recibir con fe el cuerpo de Cristo.

Que el pan divino transforme nuestras manos vacías en manos llenas, con esa medida «apretada, sacudida y desbordante» que promete el Señor al que es generoso con sus talentos. Que el dulce peso de la Eucaristía deje su marca de amor en nuestras manos para que, ungidas por Cristo, se conviertan en manos que acogen y contienen a los más débiles. Que el calor del pan consagrado nos queme en las manos con el deseo eficaz de compartir un don tan grande con los que tienen hambre de pan, de justicia y de Dios. Que la ternura de la comunión con ese Jesús que se pone sin reservas en nuestras manos en un verdadero «gesto inédito», nos abra los ojos del corazón a la esperanza para sentir presente al Dios que está «todos los días con nosotros» y nos acompaña en el camino.[6]

También nosotros, queridos hermanos en el sacerdocio, somos ungidos para ungir. Ungidos, es decir unidos hasta la médula de nuestros huesos con Jesús y con el Padre. Al igual que el Bautismo la unción sacerdotal actúa de adentro hacia fuera. Al revés de lo que parece, el sacerdocio no es una gracia que viene del exterior y que nunca termina de entrar en lo profundo de nuestro corazón pecador. Somos sacerdotes en lo más íntimo, sagrado y misterioso de nuestro corazón, allí mismo donde somos hijos por el Bautismo y morada de la Trinidad. Nuestro esfuerzo moral consiste en ungir, con esa unción profundísima, nuestros gestos cotidianos y más externos, de manera que toda nuestra vida se convierta, por nuestra colaboración, en lo que ya somos por gracia.

Ungidos para ungir, es decir para incorporar a esta unión con el Padre y el Hijo en un mismo Espíritu a toda persona. Que la unción sacerdotal nos vaya convirtiendo en Pan mientras ungimos el pan cotidiano al consagrarlo en cada Eucaristía y al compartirlo solidariamente con nuestros hermanos. Que la unción sacerdotal nos vaya convirtiendo en hombres llenos de ternura, mientras ungimos con bálsamo el dolor de los enfermos. Que la unción sacerdotal nos libere de nuestros pecados mientras ungimos con el Espíritu del perdón los pecados de nuestros hermanos y les ayudamos a llevar su cruz. Que la unción sacerdotal nos vaya convirtiendo en luz del mundo mientras predicamos con unción el Evangelio como nos mandó el Señor enseñando a guardar todo lo que Él nos dijo. Que la unción sacerdotal unja nuestro tiempo y el uso que hacemos de él para que se convierta en «tiempo de gracia» para nuestros hermanos, mientras seguimos —al ritmo eclesial del Breviario— el curso ordinario de la vida que el Señor nos da.[7]

Por eso los invito, queridos hermanos en el sacerdocio único de Jesús nuestro Señor, a que juntos pidamos esta gracia, para cada uno y para la Iglesia entera: que comprendamos la riqueza de la esperanza a la que hemos sido llamados: ser mediadores con Jesús y en Jesús, entre Dios y los hombres. Mediadores que ofrecen, junto con la de todo el pueblo de Dios, su propia fragilidad.

Que nos humillemos de tal manera que resulte fácil para nuestro Dios y para nuestros hermanos comunicarse a través nuestro. Que nuestro Padre del Cielo sienta, como siente de su Hijo predilecto, que a través nuestro puede llegar con su bendición y con su palabra a los más pequeñitos de sus hijos. Que la gente sienta, como siente de Jesús y de la Virgen, que a través nuestro puede ofrecer al Señor sus sacrificios cotidianos, esos que tejen su vida de trabajo y de familia, y expresarle a Dios que lo quiere, que lo necesita y que lo adora y alaba de corazón. Les pido que cuidemos nuestro sacerdocio cuidando esta ofrenda.

Sabemos que la unidad se cuida cuidando las mediaciones. Y la Esperanza es mediadora por excelencia cuando está atenta a los pequeños detalles en los que se da ese misterioso intercambio de fragilidad por misericordia. Cuando hay buenos mediadores, de esos que cuidan los detalles, no se rompe la unidad. Jesús cuidaba los detalles.

El «pequeño detalle» de que faltaba una ovejita.

El «pequeño detalle» de que se estaba acabando el vino.

El «pequeño detalle» de la viuda que ofreció sus dos monedidas.

El «pequeño detalle» del que no perdonó una deuda pequeña después de haber sido perdonado en la deuda grande.

El «pequeño detalle» de tener aceite de repuesto en las lámparas por si se demora el novio.

El «pequeño detalle» de ir a fijarse cuántos panes tenían.

El «pequeño detalle» de tener un fueguito preparado y un pez en la parrilla mientras esperaba a los discípulos de madrugada.

El «pequeño detalle» de preguntarle a Pedro, entre tantas cosas importantes que se venían, si de verdad lo quería como amigo.

El «pequeño detalle» de no haberse querido curar las llagas.

Son los modos sacerdotales que tiene Jesús de cuidar la esperanza que congrega en la unidad.[8]

DIÁLOGO ENTRE EL PASTOR Y SU PASTOR

Detrás de esa intensa vida, de sus actividades y preocupaciones, se dio —como en todo pastor— el diálogo con su Señor. Es el diálogo entre Jesús y su discípulo. Un diálogo que comienza con una mirada, una palabra: «Sígueme» y que va creciendo a lo largo de toda la vida. En ese diálogo se plasma la existencia del pastor, una existencia que, en su honda intimidad, la conocen solamente ellos dos; una existencia que caminan juntos. El diálogo entre el pastor y su Señor lleva toda una vida, y siempre se proyecta hacia un más allá: hacia el pueblo de Dios al que ha de servir y hacia la eternidad. [...]

Más allá del milagro, del silencio y de la certeza, el diálogo entre el pastor y su Señor es un diálogo de amor; un diálogo de amor entre dos pastores: «¿Me amas?», «apacienta mis ovejas», y el pastor queda así como perplejo en su amor: por un lado mirando a éste su Señor que le pide la profesión de su amor y, por otro, volcado hacia los hermanos que le son confiados y a los que se le pide servir por amor.[9]

LA MIRADA DEL SEMBRADOR

Pero ¿qué significa «verificar»? Es claro que este conocimiento y este amor no se verifican con la mirada estadística de quien sólo cuenta cuántos asisten a la misa dominical o compran la Biblia... La verificación más bien debe provenir de una mirada de Buen Sembrador.

Una mirada de Sembrador que sea mirada *confiada*, de largo aliento. El Sembrador no curiosea cada día el sembrado, él sabe que sea que duerma o vele, la semilla crece por sí misma.

Una mirada de Sembrador que sea mirada *esperanzada*. El sembrador, cuando ve despuntar la cizaña en medio del trigo, no tiene reacciones quejosas ni alarmistas. Él se juega por la fecundidad de la semilla contra la tentación de apurar los tiempos.

Una mirada del Sembrador que sea mirada *amorosa*, de esas que saben cómo es la fecundidad gratuita de la caridad: si bien la semilla parece desperdiciarse en muchos terrenos, donde da fruto lo da superabundantemente.

De esta mirada brotará una homilía que es, a la vez, siembra y cosecha. Tanto cuando *prepara* su prédica como cuando *dialoga* con su pueblo, el Espíritu pone en los labios del predicador palabras que cosechan y palabras que se siembran. Sintiendo y sopesando en su corazón cómo está el conocimiento y el amor del Pueblo por la Palabra, el predicador ora cosecha un valor que está maduro y muestra caminos para ponerlo en práctica, ora siembra un deseo, una esperanza de más, allí donde encuentra tierra buena, apta para que crezca la semilla. [...]

La Iglesia es Madre y predica al pueblo como una madre que le habla a su hijo, con esa confianza de que el hijo ya sabe que todo lo que se le enseñe será para bien, porque se sabe amado. Los padres saben guiarse por este sentido innato que tienen los hijos y que les da la medida de cuándo maltrataron un límite o dijeron algo inadecuado. Es el espíritu de amor que reina en una familia el que guía tanto a la madre como al hijo en sus diálogos donde se enseña y aprende, se valora y corrige. Así también en la homilía: este saberse en Espíritu de familia es lo que guía al que habla y al que escucha. El Espíritu que inspiró los evangelios, inspira también cómo hay que predicarlos y cómo hay que escucharlos en cada Eucaristía.

Este ámbito materno-eclesial en el que se desarrolla el diálogo del Señor con su Pueblo debe favorecerse y cultivarse mediante la cercanía cordial del predicador, la calidez de nuestro tono de voz, la mansedumbre del estilo de nuestras frases, la alegría de nuestros gestos... Hasta lo aburrido que en ocasiones podemos resultar para algunos, si está presente este espíritu materno-eclesial, resulta fecundo a la larga, así como los «aburridos consejos de madre» dan fruto con el tiempo en el corazón de los hijos. [...]

El desafío de una prédica inculturada está en evangelizar la síntesis, no ideas o valores sueltos. Donde está tu síntesis, podríamos parafrasear, allí está tu corazón. La diferencia entre iluminar el lugar de síntesis e iluminar ideas sueltas es la misma que hay entre el aburrimiento y el ardor del corazón.

No es fácil hablar de corazón al pueblo de Dios. No basta con ser bien intencionado. La gente aprecia y valora cuando un predicador se esfuerza por ser sincero, cuando baja la palabra a imágenes reales... Pero hablar de corazón implica tenerlo no solo ardiente, sino iluminado por la integridad de la Revelación, por la Palabra y por el camino que esa palabra ha recorrido en el corazón de la Iglesia y de nuestro pueblo fiel a lo largo de su historia (la Tradición).[10]

BENDECIR A UN PUEBLO QUE LO AGRADECE

Nuestro pueblo fiel vive este hoy de Jesús mucho más de lo que a veces algunos creen. Y ayuda mucho al fervor espiritual y a la confianza en Dios, el que como pastores, nos dejemos moldear el corazón en medio de las fragilidades de nuestro pueblo y por su modo de cargar con ellas. Dejarse moldear el corazón es saber leer, por ejemplo, en los reclamos sencillos e insistentes de nuestro pueblo, el testimonio de una fe capaz de concentrar toda su experiencia del amor que Dios les tiene en el gesto sencillo de recibir una bendición (¡qué lindo cómo sabe agradecer la bendición nuestro pueblo fiel!). Dejarse moldear el corazón es saber leer en los tiempos largos que tiene nuestra gente, entre confesión y confesión, por ejemplo, un ritmo de vida peregrinante, de aliento largo, marcado por las grandes fiestas..., saber leer, digo, una esperanza que mantiene incólume el hilo conductor del amor de Dios a lo largo de todo un año, sin que le hagan mella los vaivenes de la vida.[11]

¿De dónde proviene la energía infatigable de los Apóstoles, de los santos y de los mártires? ¿Dónde se alimenta su celo apostólico y su paciencia inagotable para sufrirlo todo y esperarlo todo? Brotan de la Paciencia y de la Mansedumbre de Cristo, forma distintiva de su sacerdocio santo, ajeno a todo cansancio malo, a toda agresión y a toda crispación. ¿Y dónde se alimenta esta dulzura pastoral de Cristo, esta *prautes*, esta *hypomoné*, que se contagia a sus sacerdotes apenas le tendemos la mano, apenas nos recostamos en su Costado al inclinarnos un poco para consagrar? La paciencia, la dulzura, la mansedumbre y el aguante sacerdotal se alimentan del Espíritu y de su Unción. Ungimos cuando nos dejamos Ungir por el Espíritu de Cristo manso y humilde de Corazón, cuando nos sumergimos en Él y dejamos impregnar nuestras heridas pastorales, las que cansaron nuestras mentes y estresaron nuestros nervios.

Estamos llamados a ser piedras, es verdad. Pero piedras ungidas. Duros como la piedra por fuera, para edificar y sostener, para proteger al rebaño y cobijarlo, pero no duros ni crispados por dentro. Por dentro el sacerdote tiene que ser como el aceite en el frasco, como el fuego en la antorcha, como el viento en las velas, como la miga del pan.

Para ungir debemos buscar diligentemente y recibir con prolijidad la Unción del Espíritu en todos los rincones de nuestra alma, para que la gracia llegue a lo hondo, sobreabunde y pueda derramarse en los demás.

Somos pobres sacerdotes en el Gran Sacerdote, pequeños pastorcitos en el Gran Pastor, la gracia que pasa a través de nuestros labios y de nuestras manos es infinitamente mayor de lo que podemos imaginar y el aceite de la Unción es lo que nos hace buenos conductores. Conductores conducidos. [...]

Nuestro Pueblo fiel está cansado de un mundo que agrede, que enfrenta a hermanos contra hermanos, que destruye y calumnia. Nuestro pueblo no quiere sacerdotes crispados. Y la crispación viene de pretender controlar el propio poder. Precisamente lo contrario del saberse-conducido propio del buen pastor. Nuestro pueblo fiel nos pide paciencia y mansedumbre.

La mansedumbre sacerdotal es propia del corazón que se sabe guiado y conducido: «Tu vara y tu cayado me sosiegan». La mansedumbre y la paciencia sacerdotal son propias del corazón que se sabe bendecido, defendido, consolado, enviado en medio de su pueblo para hacer Alianza, ungido por el mismo Espíritu que ungió al Hijo predilecto, al único Sacerdote y Buen Pastor de las ovejas.[12]

ALÉRGICOS A TODA MALA PALABRA

Necesitamos escuchar palabras ungidas que nos permitan interiorizar la verdad de manera tal que no tengamos temor a perder libertad por obedecer palabras del Señor o de la Iglesia: la palabra ungida nos enseña desde adentro. Necesitamos también escuchar palabras ungidas que nos tornen alérgicos a toda mala palabra, esas que dejan mal gusto en la boca y agrian el corazón. Nuestro pueblo fiel necesita que le prediquemos palabras ungidas, que le lleguen al corazón y se lo hagan arder como las palabras del Señor hicieron arder el corazón de los discípulos de Emaús, palabras ungidas que le defiendan el corazón para que no lo penetre tanta mala palabra, tanto chisme y chabacanería, tanta mentira y tanta palabra interesada. Estos modos de hablar, que hoy se escuchan por todos lados y todo el tiempo son los que atacan y muchas veces hacen perder la unción.[13]

NUEVA EVANGELIZACIÓN

¡A PREDICAR!

Todos tenemos, en Cuaresma, que hacer sitio en nuestro corazón, para que Jesús, con la fuerza de su Espíritu, el mismo que lo llevó al desierto, rearmonice nuestro corazón. Pero que lo rearmonice, no como algunos pretenden, con oraciones raras e intimismos baratos. Sino, que lo rearmonice con la misión, con el trabajo apostólico, con la oración de cada día, el trabajo, la fuerza, el testimonio. Hacer lugar a Jesús porque los tiempos se acortan, nos dice el Evangelio. Ya estamos en los últimos tiempos, desde hace 2000 años, los tiempos que instauró Jesús, los tiempos de este proceso de rearmonizar.

Los tiempos nos urgen. No tenemos derecho a quedarnos acariciándonos el alma. A quedarnos encerrados en nuestra cosita... chiquitita. No tenemos derecho a estar tranquilos y a querernos a nosotros mismos. ¡Cómo me quiero!. No, no tenemos derecho. Tenemos que salir a contar que, desde hace dos mil años, hubo un hombre que quiso reeditar el paraíso terrenal, y vino para eso. Para rearmonizar las cosas. Y se lo tenemos que decir a «Doña Rosa», a la que vimos en el balcón. Se lo tenemos que decir a los chicos, se lo tenemos que decir a aquellos que pierden toda ilusión y a aquellos para los que todo es «pálida», todo es música de tango, todo es cambalache. Se lo tenemos que decir a la señora gorda finoli, que cree que estirándose la piel va a ganar la vida eterna. Se lo tenemos que decir a todos aquellos jóvenes que, como el que vimos en el balcón, nos denuncian que ahora todos nos quieren meter en el mismo molde. No dijo la letra del tango pero la podría haber dicho: «Dale que va, que todo es igual».

Tenemos que salir a hablarle a esta gente de la ciudad a quien vimos en los balcones. Tenemos que salir de nuestra cáscara y decirles que Jesús vive, y que Jesús vive para él, para ella, y decírselo con alegría... aunque uno a veces parezca un poco loco. El mensaje del Evangelio es locura, dice San Pablo. El tiempo de la vida no nos va a alcanzar para entregarnos y anunciar esto que Jesús está restaurando la vida. Tenemos que ir a sembrar esperanza, tenemos que salir a la calle. Tenemos que salir a buscar.

Cuántos viejitos como esa doña Rosa están con la vida aburrida, que no les alcanza, a veces, el dinero ni para comprar remedios. A cuántos nenes les están metiendo en la cabeza ideas que nosotros recogemos como gran novedad, cuando hace diez años las tiraron a la basura en Europa y en los Estados Unidos, y nosotros se las damos como gran progreso educativo.

Cuántos jóvenes pasan sus vidas aturdiéndose desde las drogas y el ruido, porque no tienen un sentido, porque nadie les contó que había algo grande. Cuántos nostálgicos, también hay en nuestra ciudad, que necesitan un mostrador de estaño para ir saboreando grapa tras grapa y así ir olvidando.

Cuánta gente buena pero vanidosa que vive de la apariencia, y corre el peligro de caer en la soberbia y en el orgullo.

¿Y nosotros nos vamos a quedar en casa?. ¿Nos vamos a quedar en la parroquia, encerrados?. ¿Nos vamos a quedar en el chimenterío parroquial, o del colegio, en las internas eclesiales?. ¡Cuando toda esta gente nos está esperando! ¡la gente de nuestra ciudad!. Una ciudad que tiene reservas religiosas, que tiene reservas culturales, una ciudad preciosa, hermosa, pero que está muy tentada por Satanás. No podemos quedarnos nosotros solos, no podemos quedarnos en la parroquia y en el colegio. ¡Catequista, a la calle!. A catequizar, a buscar, a golpear puertas. A golpear corazones.[1]

PAZ DEL MANANTIAL, NO DEL ESTANQUE

No queremos una paz de estanque, una paz que no se mueva. En última instancia acuérdense de que el agua estancada es la primera que se corrompe. Esa no es la paz de nuestro Dios cercano.

La paz de nuestro Dios cercano es la paz del manantial que sigue fluyendo, y que sigue creando cosas y dando vida con su misma agua y dando vida con su misma paz. Sigue creando esperanza. Nuestra paz es fundamento, es origen, es manantial, de una esperanza que nos va a trascender incluso a nosotros mismos, pero que ya hoy la tenemos que sembrar.[2]

EL REDUCCIONISMO DE LA «EXPERIENCIA»

El primado «postmoderno» de la experiencia trajo consigo una religiosidad de corazón, una búsqueda más personal de Dios y una nueva valoración de la oración y la contemplación, pero también una especie de «religión a la carta», una subjetivización unilateral de la religión que la posiciona no tanto en una dimensión de adoración, compromiso y entrega sino como un elemento más de «bienestar», similar en gran medida, a las diversas ofertas new age, mágicas o pseudopsicológicas.

Ese verdadero reduccionismo (tanto como lo es su contrario, la afirmación unilateral de la religión como «contenido» y «discurso») deja de lado la infinita riqueza de la Palabra de Dios. En toda la Biblia (tanto en el Antiguo como en el Nuevo Testamento), la Palabra de Dios se presenta con dos aspectos, ambos igualmente importantes: como «revelación», «discurso», «logos», y como «acción», «presencia», «poder», «dynamis». La Palabra de Dios dice y hace. Si la consideramos solamente como presencia salvífica (porque cuando Dios actúa, salva, y salva creando comunión, vinculándose a sus creaturas, haciéndonos hijos), dejamos de lado su aspecto de revelación. Si, por el contrario, la consideramos solamente bajo su aspecto de verdad, de «contenido», perdemos su dimensión de comunión, de presencia amorosa, su dinámica salvífica. La Palabra de Dios nos vincula con Él con lazos tanto de conocimiento como de amor. Dice y hace. [...]

¿Adónde llegamos con todo esto? Como testigos de la Palabra, nuestra presencia en la sociedad debe responder a esta riqueza que no se deja encerrar en una sola dimensión. La dimensión creadora, dinámica, salvífica, de la Palabra, será actuada en el mundo en la acción de crear comunidad, de vincular, de reconocer, recibir y potenciar al prójimo. Dimensión que tiene un importante componente afectivo, no en un sentido superficial, sino en el más hondo y exigente sentido del mandamiento del amor. El evangelio de Mateo (25, 31ss) nos presenta el «test» que el Señor hará a los suyos en el fin de los tiempos: si alimentaron al hambriento, si dieron de beber al sediento, si recibieron al que está de camino... En los discípulos que realizaron esto, se produce el milagro de la presencia dinámica de Dios, se efectúa la comunión: Cristo mismo se identifica con aquel a quien se brindó el amor, invirtiendo simbólicamente los papeles, ya que es Él quien ofrece, brinda, transforma y crea una nueva realidad con su amor.

Pero también dado que la Palabra es también revelación, ley, enseñanza, nuestra misión apuntará a buscar seriamente la verdad e invitar e incorporar a otros en esta búsqueda. Toda una dimensión que, justamente por incluir a toda la persona, no dejará de lado la importancia de la inteligencia humana, de su formación y promoción. Esta dimensión es igualmente definitoria, como nos enseña el evangelio de Juan (12, 44-50).[3]

LA DIACONÍA DE LA TERNURA

En el ser y vocación de todo cristiano está el encuentro personal con el Señor. Buscar a Dios es buscar su Rostro, es adentrarse en su intimidad. Toda vocación, mucho más la del catequista, presupone una pregunta »Maestro, ¿Dónde vives? Ven y verás..» De la calidad de la respuesta, de la profundidad del encuentro surgirá la calidad de nuestra mediación como catequistas. La Iglesia se constituye sobre este «ven y verás». Encuentro personal e intimidad con el Maestro que fundamentan el verdadero discipulado y aseguran a la catequesis su sabor genuino, alejando el acecho siempre actual de racionalismos e idelogizaciones que quitan vitalidad y esterilizan la Buena Noticia.

La catequesis necesita de catequistas santos, que contagien con su sola presencia, que ayuden con su testimonio de vida a superar una civilización individualista dominada por una »ética minimalista y una religiosidad superficial». Hoy más que nunca urge la necesidad de dejarse encontrar por el Amor, que siempre tiene la iniciativa, para ayudar a los hombres a experimentar la Buena Noticia del encuentro. [...]

Sólo desde un encuentro personal con el Señor, podremos desempeñar la diaconía de la ternura, sin quebrarnos o dejarnos agobiar por la presencia del dolor y del sufrimiento.

Hoy más que nunca es necesario que todo movimiento hacia el hermano, todo servicio eclesial, tenga el presupuesto y fundamento de la cercanía y de la familiaridad con el Señor. [...]

Nuestro pueblo está cansado de palabras: no necesita tantos maestros, sino testigos...

Y el testigo se consolida en la interioridad, en el encuentro con Jesucristo. Todo cristiano, pero mucho más el catequista, debe ser permanentemente un discípulo del Maestro en el arte de rezar. [...]

Santa Teresita, con ese poder de síntesis propio de las almas grandes y simples escribe a una de sus hermanas, resumiendo en qué consiste la vida cristiana: «Amarlo y hacerlo amar...» Ésta es también la razón de ser de todo catequista. Sólo si hay un encuentro personal se puede ser instrumento para que otros lo encuentren.[4]

¿QUÉ LE DIGO A UN ATEO CUANDO ME LO ENCUENTRO?

Cuando me encuentro con personas ateas comparto las cuestiones humanas, pero no les planteo de entrada el problema de

Dios, excepto en el caso de que me lo planteen a mí. Si eso ocurre, les cuento por qué yo creo. Pero lo humano es tan rico para compartir, para trabajar, que tranquilamente podemos complementar mutuamente nuestras riquezas.

Como creyente, sé que esas riquezas son un don de Dios. También sé que el otro, el ateo, no lo sabe. No encaro la relación para hacer proselitismo como un ateo, lo respeto y me muestro como soy. En la medida en que haya conocimiento, aparecen el aprecio, el afecto, la amistad. No tengo ningún tipo de reticencias, no le diría que su vida está condenada porque estoy convencido de que no tengo derecho a hacer un juicio sobre la honestidad de esa persona. Mucho menos si me muestra virtudes, ésas que engrandecen a la gente y me hacen bien a mí. De todas formas conozco más gente agnóstica que atea, el primero es más dubitativo, el segundo está convencido.

Tenemos que ser coherente con el mensaje que recibimos de la Biblia: todo hombre es imagen de Dios, sea creyente o no. Por esa sola razón cuenta con una serie de virtudes, cualidades, grandezas. Y en el caso de que tenga bajezas, como yo también las tengo, podemos compartirlas para ayudarnos mutuamente a superarlas. [...]

La experiencia espiritual del encuentro con Dios no es controlable. Uno siente que Él está, tiene la certeza, pero no puede controlarlo. El hombre está hecho para dominar la naturaleza, ése es su mandato divino. Pero con su Creador no puede hacerlo. Por eso en la experiencia de Dios siempre hay un interrogante, un espacio para arrojarse a la fe.[5]

LA FRAGILIDAD DEL CATEQUISTA, LA FUERZA DE DIOS

En esta línea, quisiera que también el tema de la «fragilidad» esté presente en la carta que año tras año les escribo con motivo de la Fiesta de San Pío X, patrono de los catequistas.

En el 2002 los invitaba a reflexionar sobre la misión del catequista como adorador, como aquél que se sabe ante un misterio tan grande y maravilloso que lo desborda hasta convertirse en plegaria y alabanza. Hoy me animo a insistirles en este aspecto. Ante un mundo fragmentado, ante la tentación de nuevas fracturas fraticidas de nuestro país, ante la experiencia dolorosa de nuestra propia fragilidad, se hace necesario y urgente, me animaría a decir, imprescindible, ahondar en la oración y la adoración. Ella nos ayudará a unificar nuestro corazón y nos dará *»entrañas de misericordia»* para ser hombres de encuentro y comunión, que asumen como vocación propia el hacerse cargo de la herida del hermano. No priven a la Iglesia de su ministerio de oración, que les permite oxigenar el cansancio cotidiano dando testimonio de un Dios tan cercano, tan Otro: Padre, Hermano, y Espíritu; Pan, Compañero de Camino y dador de Vida. [...]

Anunciar el Kerygma, resignificar la vida, formar comunidad, son tareas que la Iglesia les confía de un modo particular a los catequistas. Tarea grande que nos sobrepasa y hasta por momentos nos abruma. De alguna manera nos sentimos reflejados en el joven Gedeón que ante el envío para combatir ante los madianitas se siente desamparado y perplejo ante la aparente superioridad del enemigo invasor (Ju 6,11-24). También nosotros, ante esta nueva invasión pseudocultural que nos presenta los nuevos rostros paganos de los *»baales»* de antaño, experimentamos la desproporción de las fuerzas y la pequeñez del enviado. Pero es justamente desde la experiencia de la fragilidad propia en donde se evidencia la fuerza de lo alto, la presencia de Aquél que es nuestro garante y nuestra paz.

Por eso, me animo en este año a invitarte a que con la misma mirada contemplativa con la cual descubres la cercanía del Señor de la Historia, reconozcas en tu fragilidad el tesoro escondido, que confunde a los soberbios y derriba a los poderosos. Hoy el Señor nos invita a abrazar nuestra fragilidad como fuente de un gran tesoro evangelizador. Reconocernos barro, vasija y camino, es también darle culto al verdadero Dios. [...]

Es en la fragilidad donde somos llamados a ser catequistas. La vocación no sería plena si excluyera nuestro barro, nuestras caídas, nuestros fracasos, nuestras luchas cotidianas: es en ella donde la vida de Jesús se manifiesta y se hace anuncio salvador. Gracias a ella descubrimos los dolores del hermano como propios.[6]

PARRESÍA

Este año les pido trabajar con esa audacia, con intenso fervor apostólico. Al hacernos cargo de la fragilidad, nuestra y de nuestro pueblo, queremos caminar con audacia, esa actitud que suscitaba el Espíritu Santo en los Apóstoles y los llevaba a anunciar a Jesucristo. Audacia, coraje, hablar con libertad, fervor apostólico... todo eso se incluye en el vocablo parresía, palabra con la que San Pablo significa «la libertad y el coraje de una existencia, que es abierta en sí misma, porque se encuentra disponible para Dios y para el prójimo». Pablo VI mencionaba entre los obstáculos a la evangelización precisamente la carencia de parresía: «La falta de fervor, tanto más grave cuanto que viene de dentro. Dicha falta de fervor se manifiesta en la fatiga y desilusión, en la acomodación al ambiente y en el desinterés y sobre todo en la falta de alegría y de esperanza» (Ev. Nunt., 80). Juan Pablo II nos habla de ardor, celo apostólico, valentía, empuje misionero. (Redemptoris Missio, 30, 67, 91). Y recordamos a los discípulos de Emaús en su encuentro con el Señor Resucitado: «*¿No ardía acaso nuestro corazón, mientras nos hablaba en el camino?*» (Lc. 24, 32). Convicción en la obra del Espíritu y ardor que brota del encuentro con Cristo vivo. Convicción y ardor que son necesarios en nosotros, los discípulos, tanto para hacernos cargo de las fragilidades como para anunciar a Cristo Resucitado.

Con frecuencia sentimos la fatiga y el cansancio. Nos tienta el espíritu de acedia, de pereza. También miramos todo lo que hay por hacer, y lo poco que somos. Como los apóstoles le decimos al Señor: «*¿qué es esto para tanta gente?*» (Jn. 6, 9), ¿qué somos nosotros para cuidar tanta fragilidad? Y allí justamente radica nuestra fortaleza: en la confianza humilde de quien ama y se sabe amado y cuidado por el Padre, en la confianza humilde de quien se sabe elegido gratuitamente y enviado. La experiencia de San

Pablo fue llevar un tesoro en vasija de barro (2 Cor. 4, 7), y nos la transmite a todos nosotros. . Es la mirada sobre sí mismo y los demás. No tiene miedo a mirar la vasija de barro porque precisamente el tesoro que lleva dentro está fundamentado en Jesucristo, y de Él le viene el coraje, la audacia, el fervor apostólico.

¡Cuántas veces nos sentimos tironeados a quedarnos en la comodidad de la orilla! Pero el Señor nos llama para navegar mar adentro y arrojar las redes en aguas más profundas (Lc. 5, 4). Nos llama a que lo anunciemos con audacia y fervor apostólico, a gastar nuestra vida en Su Servicio.[7]

Audacia apostólica en la debilidad

Nuestro Señor Jesucristo irrumpe en nuestra historia —marcada por la vulnerabilidad— con un dinamismo imparable, lleno de fuerza y de coraje. Ése es el kerygma, el núcleo de nuestra predicación: la proclamación rotunda de esa irrupción de Jesucristo encarnado, muerto y resucitado, en nuestra historia.

En el diagnóstico que hace Jesús de la situación del mundo no hay nada de quejumbroso, nada de paralizante..., por el contrario: es una invitación a la acción fervorosa. Y la mayor audacia consiste precisamente en que se trata de una acción inclusiva, en la que asocia a Sí a los más pobres, a los oprimidos, a los ciegos..., a los pequeñitos del Padre. Asociarlos haciéndolos partícipes de la buena noticia, partícipes de su nueva visión de las cosas, partícipes de la misión de incluir a otros, una vez liberados. [...]

La conciencia de la propia fragilidad, humildemente confesada por Pedro, no suscita por parte del Señor una invitación al repliegue sino que lo mueve a enviarlo en misión, a exhortarlo a que navegue mar adentro, a que se anime a ser pescador de hombres. La magnitud de la vulnerabilidad del pueblo fiel, que llena de compasión al Señor, no lo lleva a un cálculo prudente de nuestras posibilidades limitadas, tal como le sugieren los apóstoles, sino que los urge a la confianza sin límites, a la generosidad y al derroche evangélico, como sucedió en la multiplicación de los panes. [...]

La audacia y el coraje apostólicos son constitutivos de la misión. La parresía es sello del Espíritu, testimonio de la autenticidad del kerygma y del anuncio evangélico. Es esa actitud de «libertad interior» para decir abiertamente lo que hay que decir; ese sano orgullo que nos lleva a «gloriarnos» del Evangelio que anunciamos; esa confianza inquebrantable en la fidelidad del Testigo fiel, que da a los testigos de Cristo la seguridad de que «nada los puede separar del amor de Dios» (Rm 8, 38 ss.). Si los pastores tenemos esta actitud, entonces está bien cuidada y conducida la fragilidad de nuestro pueblo. Ésa es, entonces, la gracia que queremos pedirle al Señor para cuidar bien la fragilidad de nuestro pueblo: la gracia de la audacia apostólica, audacia fuerte y fervorosa en el Espíritu.[8]

¿POR QUÉ EDUCA LA IGLESIA?

No está de más volver a hacerse la pregunta fundamental: ¿para qué educamos? ¿Por qué la Iglesia, las comunidades cristianas, invierten tiempo, bienes y energías en una tarea que no es directamente «religiosa»? ¿Por qué tenemos escuelas, y no peluquerías, veterinarias o agencias de turismo? ¿Acaso por negocio? Habrá quienes así lo piensen, pero la realidad de muchas de nuestras escuelas desmiente esa afirmación. ¿Será por ejercer una influencia en la sociedad, influencia de la cual luego esperamos algún provecho? Es posible que algunas escuelas ofrezcan ese «producto» a sus «clientes»: contactos, ambiente, «excelencia». Pero tampoco es ése el sentido por el cual el imperativo ético y evangélico nos lleva a prestar este servicio. El único motivo por el cual tenemos algo que hacer en el campo de la educación es la esperanza en una humanidad nueva, en otro mundo posible. Es la esperanza que brota de la sabiduría cristiana, que en el Resucitado nos revela la estatura divina a la cual estamos llamados. [...]

Si nuestras escuelas no son el espacio donde se está creando otra humanidad, donde arraiga otra sabiduría, donde se gesta otra sociedad, donde tienen lugar la esperanza y la trascendencia, estamos demorando un aporte único en esta etapa histórica. Si en ellas no se privilegian la palabra y el amor por sobre los mecanismos del dominio y la rivalidad, no podemos hablar de escuela cristiana. Si en ellas la «excelencia» no se entiende como excelencia de la caridad, que supera a todas las demás «virtudes» (y habilidades), lejos está la Resurrección de nuestras casas. [...]

Nuestro aporte específicamente cristiano es una educación que testimonie y realice otra forma de ser humanos. Pero eso no será posible si nos limitamos simplemente a «aguantar» las «lluvias», «torrentes» y «vientos», si nos quedamos en la mera crítica y nos regodeamos en estar «afuera» de aquellos criterios que denunciamos. Otra humanidad posible... exige una acción positiva; si no, siempre va a ser «otra» meramente invocada, mientras «ésta» sigue vigente y cada vez más instalada. [...]

Les propongo tres desafíos encadenados entre sí: tender a que nuestra tarea dé frutos sin descuidar los resultados; privilegiar el criterio de gratuidad sin perder eficiencia; y crear un espacio donde la excelencia no implique una pérdida de solidaridad. [...]

¡Nuestro objetivo no es sólo formar «individuos útiles a la sociedad», sino educar personas que puedan transformarla! Esto no se logrará sacrificando la maduración de habilidades, la profundización de los conocimientos, la diversificación de los gustos, porque, finalmente, el descuido de esos «resultados» no dará lugar a «hombres y mujeres nuevos», sino a fláccidos títeres de la sociedad de consumo.

Se trata de resolver ambas polaridades integrándolas entre sí: »educar para el fruto» brindando todas las herramientas posibles para que ese fruto se concrete en cada momento de un modo eficaz, »produciendo resultados». Desde la objetividad de la verdad propongamos ideales y modelos abiertos, inspiradores, sin imprimir el formato que nosotros hemos encontrado para vehiculizar esa dinámica, desarrollando a su vez las mediaciones necesarias para que los chicos puedan motorizar sus elecciones. Prefiramos educandos libres y responsables, capaces de interrogarse, decidirse, acertar o equivocarse y seguir en camino, y no meras réplicas de nuestros propios aciertos..., o de nuestros errores. Y justamente para ello, seamos capaces de hacerles ganar la confianza y seguridad que brota de la experiencia de la propia creatividad, de la propia capacidad, de la propia habilidad para llevar a la práctica hasta el final y exitosamente sus propias orientaciones. [...]

Un criterio de eficiencia librado a sí mismo nos llevaría a invertir más allí donde más garantía tenemos de éxito. Exactamente lo que hace el vigente modelo exitista y privatista. ¿Para qué gastar en aquellos que nunca saldrán de su postración?, se pregunta el inversor que busca rendimiento ante todo. ¿Qué sentido tiene invertir más y más para que los más «lentos» o «conflictivos» puedan encontrar su camino?, ¿para que los «menos dotados» (y ahora se quiere contabilizar también la genética para determinar «quiénes no») «dilapiden» los bienes de la comunidad, ya que de todas maneras nunca van a alcanzar el nivel requerido?

Pero esta lógica de mal humanismo pedagógico se trastoca cuando consideramos el núcleo de nuestra fe: el Hijo de Dios se hizo hombre y murió en la cruz por la salvación de los hombres. ¿Cuál es la proporción entre la «inversión» hecha por Dios y el objeto de ese «gasto»? Podríamos decir sin ser irreverentes: no hay nadie más «ineficiente» que Dios. Sacrificar a su Hijo por la humanidad, y humanidad pecadora y desagradecida hasta el día de hoy... No cabe dudas: la lógica de la Historia de la Salvación es una lógica de lo gratuito. No se mide por «debe» y «haber», ni siquiera por los «méritos» que hacemos valer.

Porque leemos en el Evangelio que el grano de mostaza, tan pequeña semilla, se convierte en un enorme arbusto y captamos la desproporción entre la acción y su efecto, entonces sabemos que no somos dueños del don y procuramos ser administradores cuidadosos y eficientes. Debemos ser eficientes en nuestra misión porque se trata de la obra del Señor, y no primordialmente de la nuestra. La Palabra sembrada fructifica según su propia virtualidad y de acuerdo a la tierra donde cae. No por eso el sembrador va a hacer su trabajo con torpeza y descuido. El correlato de la gratuidad divina es la adoración y agradecimiento del hombre;

adoración y agradecimiento que implican un sumo respeto por la sabiduría compartida, por el don precioso de la Palabra y de las palabras.

No nos confundamos: la eficiencia como valor en sí, como criterio último, no se sostiene de ningún modo. Cuando hoy, en el ámbito de la empresa, se pone el acento en la eficiencia, está claro que se trata de un medio para maximizar la ganancia. Pues bien: nosotros debemos ser eficientes para que la «ganancia» pueda darse gratuitamente. Eficiencia al servicio de una tarea educativa que sea verdaderamente gratuita. [...]

Esto nos compromete seriamente, como docentes cristianos, a dar gratuitamente y cuidadosamente lo que gratuitamente y cuidadosamente hemos recibido, del mismo modo también tiene que formar parte del contenido de aquello que transmitimos. El maestro que quiera hacer de la sabiduría cristiana su principio de vida y el sentido y contenido de su vocación, pondrá su atención en el clima del aula y de la institución toda, en las actitudes que asuma y promueva, en el estilo de los intercambios cotidianos, buscando plasmar en todo ello una atmósfera de gratuidad, cuidado y generosidad. Nunca una atmósfera de interacciones calculadas, medidas e interesadas, aunque a veces sienta la tentación de mezquinar su entrega. [...]

Educar para la solidaridad supone no sólo enseñar a ser «buenos» y «generosos», hacer colectas, participar en obras de bien público, apoyar fundaciones y ong's. Es preciso crear una nueva mentalidad, que piense en términos de comunidad, de prioridad de la vida de todos y cada uno por sobre la apropiación de los bienes por parte de algunos. Una mentalidad nacida de aquella vieja enseñanza de la Doctrina Social de la Iglesia acerca de la función social de la propiedad o del destino universal de los bienes como derecho primario, anterior a la propiedad privada, hasta el punto que ésta se subordina a aquél. Esta mentalidad debe hacerse carne y pensamiento en nuestras instituciones, debe dejar de ser letra muerta para plasmarse en realidades que vayan configurando otra cultura y otra sociedad. Es urgente luchar por el rescate de las personas concretas, hijos e hijas de Dios, por sobre toda pretensión de uso indiscriminado de los bienes de la tierra.

La solidaridad, entonces, más que una actitud «afectiva» o individual, es una forma de entender y vivir la actividad y la sociedad humana. Debe reflejarse en ideas, prácticas, sentimientos, estructuras e instituciones; implica un planteo global acerca de las diversas dimensiones de la existencia; lleva a un compromiso por plasmarla en las relaciones reales entre los grupos y las personas; exige no sólo la actividad «privada» o «pública» que busca paliar las consecuencias de los desequilibrios sociales sino también la búsqueda de caminos que impidan que esos desequilibrios se produzcan, caminos que no serán sencillos ni mucho menos festejados por quienes han optado por un modelo de acumulación egoísta y de él se han beneficiado. [...]

¿Qué pasaría si diéramos vuelta el planteo, y nos propusiéramos alcanzar una excelencia de la solidaridad? El diccionario de la Real Academia define «excelencia» como «superior calidad o bondad que hace digno de singular aprecio y estimación algo». Yendo más allá, sabemos que en la antigua Grecia la excelencia era un concepto muy cercano a la virtud: la perfección en algún orden socialmente valorado. No sólo el «aprecio», sino aquello que lo merece: la superior capacidad que se pone de manifiesto en la calidad de la acción. De este modo, hablar de «excelencia de la solidaridad» implicaría, en un primer nivel, postular la solidaridad como un bien deseable, enaltecer el valor de esa disposición y esa práctica. Conlleva ante todo hacer bien lo que nos compete y partir del espíritu de la misión propia de todo maestro, que empieza —como el mismo Jesús lo señaló al lavar los pies a sus discípulos— por una profunda conversión personal, afectiva y efectiva, que se traduzca en testimonio. [...]

Aquí visualizamos una posible razón de lo que parece una «impotencia de la solidaridad». No basta con ser «buenos» y «generosos»: hace falta ser inteligentes, capaces, eficaces. Los cristianos hemos puesto tanto el acento en la rectitud y sinceridad de nuestro amor, en la conversión del corazón, que por momentos hemos prestado menos atención al acierto objetivo en nuestra ca-

ridad fraterna. Como si lo único importante fuera la intención...
y se descuidan las mediaciones adecuadas. Esto no basta; no
basta para nuestros hermanos más necesitados, víctimas de la
injusticia y la exclusión, a quienes «el interior de nuestro corazón» no los ayuda en su necesidad. Ni tampoco basta para nosotros mismos: una solidaridad inútil sólo sirve para paliar un poco
los sentimientos de culpa. Se necesitan fines elevados... y medios
adecuados.[9]

LA IGLESIA TIENE QUE TRANSFORMAR SUS ESTRUCTURAS PARA SER MISIONERA

La Iglesia, por venir de una época donde el modelo cultural la fa-
vorecía, se acostumbró a que sus instancias fueran ofrecidas y
abiertas para el que viniera, para el que nos buscara. Eso funcio-
naba en una comunidad evangelizada. Pero en la actual situación,
la Iglesia necesita transformar sus estructuras y modos pastorales
orientándolos de modo que sean misioneros. No podemos permanecer en un estilo clientelar que, pasivamente, espera que venga
el cliente, el feligrés, sino que tenemos que tener estructuras para
ir hacia donde nos necesitan, hacia donde está la gente, hacia
quienes deseándolo no van a acercarse a estructuras y formas ca-
ducas que no responden a sus expectativas ni a su sensibilidad.
Tenemos que ver, con gran creatividad, cómo nos hacemos presentes en los ambientes de la sociedad haciendo que las parroquias
e instituciones sean instancias que lancen a esos ambientes. Revi-
sar la vida interna de la Iglesia para salir hacia el pueblo fiel de
Dios. La conversión pastoral nos llama a pasar de una Iglesia re-
guladora de la fe a una Iglesia transmisora y facilitadora de la fe.[10]

LOS SENDEROS «ILUSTRADOS» QUE PARALIZAN EL APOSTOLADO

No habrá que extrañarse que en este camino que comenzamos a
transitar aparezca la tentación sutil de la seducción «alternativis-

ta», que se expresa en nunca aceptar un camino común, para presentar siempre como absoluto otras posibilidades. No se trata del sano y enriquecedor pluralismo o matices a la hora del discernimiento comunitario; sino de la incapacidad de hacer un camino con otros, porque en el fondo del corazón se prefiere andar solitario por senderos elitistas que, en muchos casos, conducen a replegarse egoístamente sobre sí mismo. El catequista en cambio, el verdadero catequista, tiene la sabiduría que se fragua en la cercanía con la gente y con la riqueza de tantos rostros e historias compartidas que lo alejan de cualquier versión *aggiornada* de «ilustración».

No ha de extrañar que en el camino también se haga presente el mal espíritu, el que se niega a toda novedad. El que se aferra a lo adquirido y prefiere las seguridades de Egipto a las promesas del Señor. Ese mal espíritu nos lleva a regodearnos en las dificultades, a apostar desde el inicio al fracaso, a despedir «con realismo» a las multitudes porque no sabemos, no podemos y, en el fondo, no queremos incluirlas. De este mal espíritu nadie está exento.[11]

La propuesta moral de la Nueva Evangelización

Solo el que vive del Espíritu en la obediencia amorosa al Padre, testimonia en sus acciones cotidianas la vida nueva de la gracia y siente la necesidad de que esa vida sea comunicada a todos los hombres, siente la necesidad del anuncio gozoso del Evangelio de la gracia. «¡Ay de mí si no evangelizara!», exclama el apóstol después de su encuentro personal con Cristo resucitado que lo llama a la fe y a la conversión. [...]

Vivimos en nuestros pueblos la irrupción de una *forma cultural no cristiana o descristianizada*. Las tendencias subjetivistas, utilitaristas y relativistas, no sólo como posiciones pragmáticas, sino como concepciones consolidadas teóricamente dan forma a nuestro mundo y nos cuestionan seriamente.

Además, los grandes movimientos migratorios de nuestro

mundo y la realidad de una diversidad religiosa, particularmente proveniente de oriente, plantean a la evangelización el delicado desafío del encuentro entre culturas diferentes y del diálogo interreligioso. [...]

Jesús no sólo llamó a la fe sino también a la conversión (cfr. Mc 1, 15).

Para que la *propuesta moral* forme parte de la evangelización como un *componente indispensable*, es necesario el testimonio vivo de los santos y santas, que es el signo más preclaro de la *santidad de la Iglesia* que proviene de Jesucristo.

La Iglesia, en su sabia pedagogía moral, ha invitado siempre a sus hijos a encontrar en los santos y santas, ante todo en María y en José, «el modelo, la fuerza y la alegría para vivir una vida según los mandamientos de Dios y las bienaventuranzas del Evangelio» (*Veritatis Splendor* 107).

En el contexto de la nueva evangelización que comporta también la propuesta moral de Jesús, «se abre el justo espacio a la *misericordia de Dios* por el pecador que se convierte, y a la *comprensión por la debilidad humana*» (VS 104).

Pero esta comprensión jamás puede significar un compromiso y una falsificación de la medida del bien y del mal a la que Dios nos llama en su ley santa, para adaptarla a las circunstancias existenciales de las personas y de los grupos humanos. [...]

En el contexto de la nueva evangelización encuentra su lugar genuino, la reflexión que la teología debe desarrollar sobre la vida moral, así como la formación y la actuación de los diversos agentes de pastoral, en particular, de los sacerdotes y de los catequistas.

La Iglesia tiene mucha necesidad de teólogos moralistas que profundicen la propuesta moral de Jesús, la hagan comprensible al hombre contemporáneo y así presten su servicio insustituible a la nueva evangelización.

La dedicación de muchos en el cultivo y en la enseñanza de la teología moral constituye un verdadero carisma del Espíritu y un ministerio eclesial. Los teólogos moralistas están llamados a vivir su carisma y ministerio en un «*íntimo y vivo nexo con la Iglesia*» (VS 109).

Este nexo con la Iglesia implica, por un lado, el servicio al Pueblo de Dios a fin de que sea ayudado, y no impedido, a aplicar cada vez más recta y profundamente la fe a sus vidas. Por otro lado, el teólogo moralista está llamado a desarrollar su misión guardando un vínculo con el carisma y el ministerio del Magisterio del Papa y los Obispos.

El carisma del Magisterio moral, lejos de impedir el desarrollo de la teología moral, da al teólogo las certezas morales indispensables para poder progresar en el conocimiento de la verdad moral y formularla cada vez más adecuadamente. En este sentido, se debe establecer un vínculo de estrecha *comunión carismática* entre teología moral y magisterio moral, con la conciencia de que el *disenso* con el magisterio moral «*es contrario a la comunión eclesial*» (VS 113). Los fieles tienen derecho a recibir la doctrina moral de la Iglesia en toda su integridad.[12]

LA MIRADA Y EL ANUNCIO DEL CATEQUISTA

No puede haber realmente una verdadera catequesis sin una centralidad y referencia real a la Palabra de Dios que anime, sostenga y fecunde todo su hacer. El catequista se compromete delante de la comunidad a meditar y rumiar la Palabra de Dios para que sus palabras sean eco de ella. Por ello, la acoge con la alegría que da el Espíritu (1 Tes 1,6), la interioriza y la hace carne y gesto como María (Lc 2,19). Encuentra en la Palabra la sabiduría de lo alto que le permitirá hacer el necesario y agudo discernimiento, tanto personal como comunitario. [...]

Por eso, les pido a ustedes catequistas: ¡cuiden su mirada!. No claudiquen en esa mirada dignificadora. No cierren nunca los ojos ante el rostro de un niño que no conoce a Jesús. No desvíen su mirada, no se hagan los distraídos. Dios los pone, los envía para que amen, miren, acaricien, enseñen... Y los rostros que Dios les confía no se encuentran solamente en los salones de la parroquia, en el templo... Vayan más allá: estén abiertos a los nuevos cruces de caminos en los que la fidelidad adquiere el nombre de creatividad. Ustedes seguramente recordarán que el Directorio Catequístico General en la Introducción nos propone la parábola el sembrador. Teniendo presente este horizonte bíblico no pierdan la identidad de su mirada de catequistas. Porque hay modos y modos de mirar... Están quienes miran con ojos de estadísticas... y muchas veces solo ven números, sólo saben contar... Están quienes miran con ojos de resultados... y muchas veces sólo ven fracasos... Están quienes miran con ojos de impaciencia... y sólo ven esperas inútiles...

Pidámosle a quien nos ha metido en esta siembra, que nos haga partícipe de su mirada, la del sembrador bueno y «derrochón» de ternura. [...]

Pero si algo es propio del catequista es reconocerse como el hombre y la mujer que «anuncia». Si bien es cierto que todo cristiano debe participar de la misión profética de la Iglesia, el catequista lo hace de una manera especial.

¿Qué significa anunciar? Es más que decir algo, que contar algo. Es más que enseñar algo. Anunciar es afirmar, gritar, comunicar, es trasmitir con toda la vida. Es acercarle al otro su propio acto de fe —que por ser totalizador— se hace gesto, palabra, visita, comunión... Y anunciamos no un mensaje frío o un simple cuerpo doctrinal. Anunciamos ante todo una Persona, un acontecimiento: Cristo nos ama y ha dado su vida por nosotros (Cf Ef 2, 1-9). El catequista como todo cristiano. anuncia y testifica una certeza: que Cristo ha resucitado y está vivo en medio de nosotros (Cf Hch 10, 34-44). El catequista ofrece su tiempo, su corazón, sus dones y su creatividad para que esta certeza se haga vida en el otro, para que el proyecto de Dios se haga historia en el otro. Es propio también del catequista que ese anuncio que tiene como centro a una persona, Cristo, se haga también anuncio de su mensaje, de sus enseñanzas, de su doctrina. La catequesis es enseñanza. Hay que decirlo sin complejo. No se olviden que ustedes como catequistas completan la acción misionera de la Iglesia. Sin una presentación sistemática de la Fe nuestro seguimiento del Señor será incompleto, se nos hará difícil dar razón de lo que creemos, seremos cómplices de que muchos no lleguen a la madurez de la fe.

Y si bien el algún momento de la historia de la Iglesia se separó demasiado Kerygma y Catequesis, hoy deben estar unidos aunque no identificados. La catequesis deberá en estos tiempos de increencia e indiferencia generalizada tener una fuerte impronta kerygmática. Pero no deberá ser solamente Kerygma, si no a la larga dejará de ser Catequesis. Deberá gritar y anunciar: ¡Jesús es el Señor!, pero deberá también llevar gradual y pedagógicamente al catecúmeno a conocer y amar a Dios, a entrar en su intimidad, a iniciarlo en los sacramentos y la vida del discípulo...

No dejen de anunciar que Jesús es el Señor... ayuden justamente a que sea realmente «Señor» de sus catequizandos... Para eso ayúdenlos a rezar en profundidad, a adentrarse en sus misterios, a gustar de su presencia... No vacíen de contenido la catequesis, pero tampoco la dejen reducida a simples ideas, las cuales, cuando salen de su engarce humano, de su enraizamiento en la persona, en el Pueblo de Dios y en la historia de la Iglesia, conllevan enfermedad. Las ideas, así entendidas, terminan siendo palabras que no dicen nada, y que pueden transformarnos en nominalistas modernos, en «élites ilustradas».

En este contexto cobra mucha importancia el testimonio. La catequesis, como educación en la fe, como transmisión de una doctrina, exige siempre un sustento testimonial. Esto es común a todo cristiano, sin embargo en el catequista adquiere una dimensión especial. Porque se reconoce llamado y convocado por la Iglesia para dar testimonio. El testigo es aquel que habiendo visto algo, lo quiere contar, narrar, comunicar... En el catequista el encuentro personal con el Señor da no sólo credibilidad a sus palabras, sino que da credibilidad a su ministerio, a lo que es y a lo que hace. [...]

Y por ser catequistas de este tiempo signado por las crisis y los cambios no se avergüencen de proponer certezas... No todo está en cambio, no todo es inestable, no todo es fruto de la cultura o del consenso. Hay algo que se nos ha dado como don, que supera nuestras capacidades, que supera todo lo que podamos imaginar o pensar.[13]

Con un «no tengan miedo» Jesús destruye la tramoya del primer terremoto. Aquél era un grito nacido del triunfalismo de la soberbia. El «no teman» de Jesús, en cambio, es el anuncio manso del verdadero triunfo, ése que se transmitirá de voz en voz, de fe en fe, a través de los siglos. Y, durante ese día, el «no tengan miedo» será el saludo del Señor Resucitado cada vez que se encontraba con sus discípulos. Así, con ese suave y enérgico saludo, les va devolviendo la fe en la promesa hecha, los va consolando. En el «no teman» de Jesús se cumple lo profetizado por Isaías: «Sí, el Señor consuela a Sion, consuela todas sus ruinas: Hace su desierto semejante a un Edén, y su estepa, a un jardín del Señor. Allí habrá gozo y alegría, acción de gracias y resonar de canciones» (51:3). El Señor Resucitado consuela y fortalece.

Hoy, en esta noche de triunfo verdadero manso y sereno, el Señor nos vuelve a decir a nosotros, a todo el pueblo fiel: «No tengan miedo», yo estoy aquí. Estuve muerto y ahora vivo. Lo viene repitiendo desde hace veinte siglos en cada momento de terremoto triunfalista cuando, en su Iglesia, se repite su Pasión, se «completa» lo que falta a la Pasión. Lo dice en el silencio de cada corazón dolorido, angustiado, desorientado; lo dice en las coyunturas históricas de confusión cuando el poder del mal se adueña de los pueblos y construye estructuras de pecado. Lo dice en las arenas de todos los Coliseos de la Historia. Lo dice en cada llaga humana... Lo dice en cada muerte personal e histórica. No tengas miedo, soy Yo. Estoy aquí. Nos acerca su triunfo definitivo cada vez que la muerte pretende cantar victoria.

En esta noche Santa quisiera que todos hiciéramos silencio en nuestro corazón y, en medio de los terremotos personales, culturales, sociales; en medio de esos terremotos fabricados por la tramoya de la autosuficiencia y la petulancia, del orgullo y la soberbia; en medio de los terremotos del pecado de cada uno de nosotros; en medio de todo eso nos animemos a escuchar la voz del Señor Jesús, el que estaba muerto y ahora está vivo, que nos dice: «No tengas miedo. Soy yo». Y, acompañados por nuestra

Madre, la de la ternura y la fortaleza, nos dejemos consolar, fortalecer y acariciar el alma por esa voz de Triunfador que, sonriendo y con mansedumbre, nos repite incansablemente: No tengas miedo, soy Yo.[14]

ESCUCHAR PARA ENSEÑAR

Aprender a escuchar nos permitirá dar el primer paso para que, en nuestras comunidades, se haga realidad la tan anhelada acogida cordial. Quien escucha sana y recrea los vínculos personales, tantas veces lastimados, con el simple bálsamo de reconocer al otro como importante y con algo para decirme. La escucha primerea al diálogo y hace posible el milagro de la empatía que vence distancia y resquemores.

Esta actitud nos librará de algunos peligros que pueden hipotecar nuestro estilo pastoral. El de atrincherarnos como Iglesia, edificando muros que nos impiden ver el horizonte. El peligro de ser Iglesia autorreferencial que acecha todas las encrucijadas de la historia y es capaz de histeriquear con la enfermedad de la internas hasta las mejores iniciativas pastorales. El peligro de empobrecer la catequesis concibiéndola como una mera enseñanza, o un simple adoctrinamiento con conceptos fríos y distantes en el tiempo.

La actitud de la escucha nos ayudará a no traicionar la frescura y fuerza del anuncio kerygmático trastocándolo en una fraguada y aguachenta moralina, que más que la novedad del «*Camino*» se transforma en fango que ciega y empantana. [...]

Con facilidad suplantamos la escucha por el mail, el mensajito y el chateo, y así privamos a la escucha de la realidad de rostros, miradas y abrazos. Podemos también preseleccionar la escucha y escuchar a algunos, lógicamente a los que nos conviene. Nunca faltan en nuestros ambientes eclesiales aduladores que pondrán en nuestro oído justamente lo que nosotros queremos escuchar.

Escuchar es atender, querer entender, valorar, respetar, salvar la proposición ajena... Hay que poner los medios para escuchar bien, para que todos puedan hablar, para que se tenga en cuenta lo que cada uno quiere decir. Hay — en el escuchar — algo martirial, algo de morir a uno mismo que recrea el gesto sagrado del Éxodo: Quítate la sandalias, anda con cuidado, no atropelles. Calla, es tierra sagrada, ¡hay alguien que tiene algo para decir!. ¡Saber escuchar es una gracia muy grande! Es don que hay que pedir y ejercitarse en él.[15]

NUEVAS EXIGENCIAS, RESPUESTAS INÉDITAS

El Señor nos pateó el tablero y nos fue llevando con su Espíritu a posar nuestra mirada sobre la gente: para no ver lo que queremos ver, sino aquello que es. Así reconocimos experiencialmente las heridas y las fragilidades de nuestro pueblo que también son las nuestras. Porque, en la medida que nos involucramos con la vida de nuestro pueblo fiel y la sentimos en sus heridas más hondas podemos ponernos, a la luz del Evangelio, a pensar y discernir lo que necesita. Un pensar y discernir distinto: no el del que, a modo funcionalista, busca soluciones rápidas y prearmadas, sino el de aquel que desde la rumia en un corazón que busca dejarse iluminar y trasformar por la oración, y desde la confrontación con los otros, permite que sea Dios el que hable y no los viejos conocimientos, las recetas mágicas o las mañas bautizadas. [...]

La realidad hacia la que somos enviados se nos presenta difícil y avasallante. Aparecen nuevas exigencias que nos piden respuestas inéditas. Mientras antes nos podíamos arreglar muy bien solos haciendo las cosas a nuestra manera, la fragmentación que vive nuestra sociedad nos pone frente a la exigencia evangelizadora de una identidad eclesial que brote de una mayor comunión. Este espíritu de comunión fortalecerá nuestra unidad con la armonía del Espíritu Santo y también nos defenderá del vértigo con que somos tentados al ver que se nos tambaleen las seguridades y que incluso el sistema de trabajo pastoral que hemos probado mucho tiempo y sentimos como inamovible puede tener que adquirir una nueva forma. [...]

En nuestro andar eclesial hemos hecho y seguimos haciendo enormes esfuerzos por distintos caminos, hemos sostenido y sostenemos diversas formas de pastoreo, hemos afrontado y seguimos afrontando crisis y sacudones, vimos y vemos cómo muchos de los proyectos a los que dedicamos tiempo y esfuerzo se nos revelan incapaces de sostener nuestros anhelos y buenas expectativas evangelizadoras, a medida que mucha gente se nos queda por el camino.

Sin embargo, una y otra vez volvemos a empezar después de cada tormenta. Pero cuando creemos estar tranquilos en el vientre de la ballena nos sorprende la evidencia de que todo lo realizado no ha sido más que una etapa, y que ahora la ballena nos ha vomitado en la Nínive de un mundo en el que Dios parece estar más ausente que un rato antes y al que nosotros, con las palabras que decimos, no le interesamos y los valores que tratamos de anunciar le resultan sin importancia y pasados de moda. Esta realidad nos llamó, como Iglesia arquidiocesana, a procurar el modo de acoger a todos nuevamente haciendo de nuestras parroquias y geografías pastorales santuarios donde se experimente la presencia de Dios que nos ama, nos une y nos salva. [...]

Nuestra identidad y valoración se sienten amenazadas; no ejercemos como antes el liderazgo moral ni tenemos un lugar social de relevancia; se nos presentan problemas para los que aparentemente no tenemos la respuesta. Somos minoría y nos resistimos a ser uno dentro de tantos. Sigue siempre latente la tentación de huir a una «Tarsis» que puede tener muchos nombres: individualismo, espiritualismo, encerramiento en pequeños mundos, dependencia, instalación, repetición de esquemas ya fijados, dogmatismo, nostalgia, pesimismo, refugio en las normas...

Desde la queja por los problemas que tenemos: (faltan laicos comprometidos, la gente no entiende —el obispo tampoco—, la gente viene a usarnos —el obispo también—, no se puede todo, nadie se da cuenta de lo que pasa, nadie se preocupa) tal vez nos estamos resistiendo a salir de un territorio que nos era conocido y manejable. Sin embargo, las mismas dificultades pueden ser como la tormenta, la ballena, el gusano que secó el ricino de Jonás o el viento y el sol que le quemaron la cabeza; y lo mismo que para él, pueden tener la función de forzarnos a regresar de nuestros evasivos «Tarsis», para acercarnos a Nínive y, sobre todo, perderle el miedo a ese Dios que es ternura y viene a nosotros para cercarnos con su gracia y llevarnos a una itinerancia constante y renovadora.

Lo mismo que Jonás, podemos escuchar una llamada persistente que vuelve a invitarnos a correr la aventura de Nínive, a aceptar el riesgo de protagonizar una nueva evangelización, fruto del encuentro con Dios que siempre es novedad y que nos empuja a romper, partir y desplazarnos para ir más allá de lo conocido, hacia las periferias y las fronteras, allí donde está la humanidad más herida y donde los hombres, por debajo de la apariencia de la superficialidad y conformismo, siguen buscando la repuesta a la pregunta por el sentido de la vida. En la ayuda para que nuestros hermanos encuentren una respuesta también nosotros encontraremos renovadamente el sentido de toda nuestra acción, el lugar de toda nuestra oración y el valor de toda nuestra entrega. [16]

RECOMENZAR DESDE CRISTO

Por acompañar el proceso de crecimiento de la fe, por estar comprometidos en la enseñanza, puede el «tentador» hacerles creer que su ámbito de acción se reduce a lo intraeclesial, y los lleve a estar demasiado en torno al templo y al atrio. Eso suele acontecer... Cuando nuestras palabras, nuestro horizonte, tienen la perspectiva del encierro y del pequeño mundo, no ha de asombrarnos que nuestra catequesis pierda la fuerza del Kerigma y se trasforme en enseñanza insípida de doctrina, en transmisión frustrante de normas morales, en experiencia agotadora de estar sembrando inútilmente. [...]

Por eso, «recomenzar desde Cristo» es concretamente imitar al Maestro Bueno, al único que tiene Palabra de Vida Eterna y salir una y mil veces a los caminos, en busca de la persona en sus más diversas situaciones.

«Recomenzar desde Cristo» es mirar al Maestro Bueno; al que supo diferenciarse de los rabinos de su tiempo porque su enseñanza y su ministerio no quedaban localizados en la explanada del templo sino que fue capaz de «hacerse camino», porque salió al encuentro de la vida de su pueblo para hacerlos partícipes de las primicias del Reino. (Lc 9, 57, 62).

«Recomenzar desde Cristo» es cuidar la oración en medio de una cultura agresivamente pagana, para que el alma no se arrugue, el corazón no pierda su calor y la acción no se deje invadir por la pusilanimidad.

«Recomenzar desde Cristo» es sentirse interpelados por su palabra, por su envío y no ceder a la tentación minimalista de contentarse con sólo conservar la fe, y darse por satisfecho de que alguno siga viniendo a la catequesis.

«Recomenzar desde Cristo» entraña emprender continuamente la peregrinación hacia la periferia. Como Abraham, modelo del peregrino incansable, lleno de libertad, sin miedo, porque confiaba en Señor. Él era su fuerza y su seguridad, por eso supo no detenerse en su caminar, porque lo hacía en la presencia del Señor (Cf. Gn 17, 1

Además en la vida de todo cristiano de todo discípulo, de todo catequista, no falta la experiencia del desierto, de la purificación interior, de la noche oscura, de la obediencia de la fe, como la que vivió nuestro padre Abraham. Pero ahí también está la raíz del discipulado. Los cansancios del camino no pueden acobardar y detener nuestros pasos porque equivaldría a paralizar la vida. Recomenzar desde Cristo es dejarse desinstalar para no aferrarse a lo ya adquirido, a lo seguro, a lo de siempre. Y porque sólo en Dios descansa mi alma, por eso salgo al encuentro de las almas.

«Recomenzar desde Cristo» supone no tenerle miedo a la periferia. Aprendamos de Jonás a quien hemos mirado en más de una oportunidad en este año. Su figura es paradigmática en este tiempo de tantos cambios e incertidumbre. Es un hombre piadoso, que tiene una vida tranquila y ordenada. Pero justamente, como a veces este tipo de espiritualidad puede traernos tanto orden, tanta claridad en el modo de vivir la religión, lo lleva a encuadrar rígidamente los lugares de su misión, a dejarse tentar por la seguridad de lo que «siempre se había hecho». Y para el asustadizo Jonás el envío a Nínive trajo crisis, desconcierto, miedo. Resultaba una invitación a asomarse a lo desconocido, a lo que no tiene respuesta, a la periferia de su mundo eclesial. Y por eso el discípulo quiso escapar de la misión, prefirió huir...

Las huidas no son buenas. Muchas esconden traiciones, renuncias. Y suelen tener semblantes tristes y conversaciones amargas (Cf. Lc 24, 17-18). En la vida de todo cristiano, de todo discípulo, de todo catequista tendrá que estar el animarse a la periferia, el salir de sus esquemas; de lo contrario no podrá hoy ser testigo del Maestro; es más, seguramente se convertirá en piedra y escándalo para los demás (Cf. Mt 16,23).

«Recomenzar desde Cristo» es tener en todo momento la experiencia de que Él es nuestro único pastor, nuestro único centro. Por eso centrarnos en Cristo significa «salir con Cristo». Y así, nuestra salida a la periferia no será alejarnos del centro, sino permanecer en la vid y dar de esta manera verdadero fruto en su amor (Jn 15, 4). La paradoja cristiana exige que el itinerario del corazón del discípulo necesite salir para poder permanecer, cambiar para poder ser fiel.

Por ello, desde aquella bendita madrugada del domingo de la historia, resuenan en el tiempo y el espacio las palabras del ángel que acompaña el anuncio de la resurrección: *«Vayan, digan a sus discípulos y a Pedro, que él irá antes que ustedes a Galilea; allí lo verán»* (Mc 16, 7). El Maestro siempre nos precede, Él va adelante (Lc 19,28) y, por eso, nos pone en camino, nos enseña a no quedarnos quietos, Si hay algo más opuesto al acontecimiento pascual es el decir: «estamos aquí, que vengan». El verdadero discípulo sabe y cuida un mandato que le da identidad, sentido y belleza a su creer: *«Vayan...»* (Mt, 28,19). Entonces sí el anuncio será kerygma; la religión, vida plena; el discípulo, auténtico cristiano.

Sin embargo la tentación del encierro, del miedo paralizante acompañó también los primeros pasos de los seguidores de Jesús: «... *estando cerradas las puertas del lugar donde se encontraban los discípulos por temor...*» (Jn 20, 19-20). Hoy como ayer podemos tener miedo. Hoy también muchas veces estamos con las puertas cerradas. Reconozcamos que estamos en deuda.

Hoy, al darte gracias por toda tu entrega, querido catequista, me animo una vez más a pedirte: salí, dejá la cueva, abrí puertas, animate a transitar caminos nuevos. La fidelidad no es repetición. Buenos Aires necesita que no dejes de pedir al Señor la creatividad y audacia para atravesar murallas y esquemas que posibiliten, como en aquella gesta de Pablo y Bernabé, la alegría de muchos hermanos (Cf. Hc 15.3).[17]

FRENTE AL PENSAMIENTO ÚNICO

La evangelización de la actual cultura posmoderna está reclamando en el interior de la Iglesia y fuera de ella, un trabajo pastoral que tenga en cuenta la palabra, las acciones, los signos y los símbolos, un imaginario que exprese la opción por la verdad sobre Dios y sobre el hombre.

Eso implica la creación de *un nuevo paradigma cultural*, como verdadera alternativa al pensamiento único dominante, que tenga en cuenta las mayores preocupaciones y polos de interés de los hombres de hoy: la realidad social, el pensamiento ecológico, la cosmología moderna, las etnias, la paz, la ética del cuidado, la misericordia y la compasión.[18]

DEJARNOS ENCONTRAR POR ÉL

El anuncio evangélico no queda relegado a una historia lejana que sucedió hace dos mil años... es una realidad que se sigue dando cada vez que nos ponemos en camino hacia Dios y nos dejamos encontrar por Él. El Evangelio plasma un hecho de encuentro, de encuentro victorioso entre Dios fiel, apasionado por su pueblo, y nosotros, pecadores, pero sedientos de amor y de búsqueda, que hemos aceptado ponernos en camino... ponernos en camino para encontrarlo... para dejarnos encontrar por Él. En ese instante, existencial y temporal, experimentamos lo de las mujeres: temor y alegría a la vez; experimentamos ese estupor del encuentro con Jesucristo que colma nuestros deseos pero que nunca dice «quédense», sino «vayan». El encuentro nos remansa, nos fortalece la identidad y nos reenvía; nos vuelve a poner en camino para que, de encuentro en encuentro, lleguemos al encuentro definitivo.[19]

EL KERYGMA

Un pueblo que necesita de testigos antes que maestros. Hagan que la catequesis sea transversalmente *kerygmática*, para que el proceso y maduración de la fe tengan la frescura del encuentro con Aquél que, a través de la Iniciación Cristiana, te consolida como discípulo misionero.[20]

ANTE LAS NOCHES DE MIEDO

En esas noches nuestras, noches de miedo, noches de tentación y prueba, noches en que quiere reinstalarse la esclavitud vencida, el Señor sigue velando como lo hizo aquella noche en Egipto; y con palabras dulces y paternales nos dice: «¿Por qué están turbados y se les presentan esas dudas? Miren mis manos y mis pies, soy yo mismo. Tóquenme y vean» (Lc. 24: 39) o, a veces con un poco más de energía: «¡Hombres duros de entendimiento, cómo les cuesta creer todo lo que anunciaron los profetas! ¿No era necesario que el Mesías soportara esos sufrimientos para entrar en la gloria?» (Lc. 24: 25-26). El Señor Resucitado siempre está vivo a nuestro lado. [...]

Cada vez que Dios se manifestaba a un israelita procuraba disiparle el miedo: «No temas», le decía. Lo mismo hace Jesús: «No temas», «no tengas miedo». Es lo que el Ángel les dice a estas tres mujeres a las que el miedo las impelía a optar por el velorio. Esta noche de vigilia digámosnoslo unos a otros: no tengas miedo, no temamos; no esquivemos la certeza que se nos impone, no rechacemos la esperanza. No optemos por la seguridad del sepulcro, en este caso no vacío sino lleno de la inmundicia rebelde de nuestros pecados y egoísmo. Abrámosnos al don de la esperanza. No temamos la alegría de la Resurrección de Cristo.[21]

EDUCAR EN LA MADUREZ

FIRMES EN LA ESPERANZA

Todo educador muchas veces siente que debe enfrentar cada día una doble desautorización: la de una sociedad que no lo respalda ni lo jerarquiza socialmente —negándole, muchas veces por falta de insumos o por dilapidar lo con esfuerzo construye en el aula, la posibilidad real de educar—, y la de unos padres que no le otorgan el debido aval ni reconocimiento a su tarea primordial —llegando a desautorizarlo frente a los hijos—, todo educador, repito, está particularmente tentado a desesperar.

Por eso los invito nuevamente, queridos docentes [...] a permanecer firmes en la esperanza a la que han sido llamados en su tarea educativa fundamental y fundante. En aquel momento les recordaba la preeminencia y urgencia del tema. Los invitaba a reflexionar sobre la esperanza, «pero no sobre una esperanza *light* o desvitalizada, separada del drama de la existencia humana». «Interroguemos a la esperanza» —les decía— «a partir de los problemas más hondos que nos aquejan y que constituyen nuestra lucha cotidiana, en nuestra tarea educativa, en nuestra convivencia y en nuestra misma interioridad». Hoy [...] estoy todavía más convencido de que es ella, «la pequeña esperanza», la que nos aportará «sentido y sustancia a nuestros compromisos y emprendimientos para afrontar la responsabilidad de educar a las jóvenes generaciones, y de asumir aun aquello que llevamos con dificultad, casi como una cruz».[1]

Educar en la búsqueda de la verdad, entonces, exige un esfuerzo de armonización entre contenidos, hábitos, y valoraciones; un entramado que crece y se condiciona juntamente, dando forma a la propia vida. Para lograr tal armonía no basta la información o la explicación. Lo meramente descriptivo o explicativo aquí no lo dice todo, si está solo se esfuma. Es necesario ofrecer, mostrar, una síntesis vital de ellos... Y eso sólo lo hace el testimonio. Entramos así en una de las dimensiones más hondas y bellas del educador: la testimonial. El testimonio es lo que unge «maestro» al educador y lo hace compañero de camino en la búsqueda de la verdad. El testigo, que con su ejemplo nos desafía, anima, acompaña, deja caminar, equivocarse y aun repetir el error, para crecer. [...]

Será maestro quien pueda sostener con su propia vida las palabras dichas. Esta dimensión de alguna manera estética de la transmisión de la verdad —estética y no superficialmente esteticista— transforma al maestro en un icono viviente de la verdad que enseña. [...]

El educador, al acompañar en la búsqueda, ofrece un marco de contención que, sin quitar la libertad, despeja el miedo y alienta en el camino. Él también, como Jesús, debe unir la verdad que enseña, cualquiera sea el ámbito en que se mueva, con el testimonio de su vida, en íntima relación al saber que enseña. Sólo así el discípulo puede aprender a escuchar, ponderar, valorar, responder... aprender la difícil ciencia y sabiduría del diálogo. [...]

Lo que se le pide a un educador es que haga camino con el educando, y en este largo hacer camino se fragua la cercanía, la proximidad. Ésta es otra dimensión fundamental en la búsqueda de la verdad: no temer la cercanía, tan distante de la distancia cortés y de la promiscuidad. La distancia deforma las pupilas porque nos vuelve miopes en la captación de la realidad. Sólo la cercanía es portadora de esa objetividad que se abre a una mayor y mejor comprensión. En el trato personal la cercanía es proximidad: la persona que está al lado es «prójimo» y pide que nos hagamos «prójimo». El educador que «enseña» a no tener miedo en la búsqueda de la verdad es, en definitiva, un maestro, testigo de cómo se camina, compañero de ruta, cercano, alguien que se hace prójimo. [2]

LA CONFORMACIÓN DE LA PROPIA VIDA

La cultura posmoderna presenta un modelo de persona asociado fuertemente a la imagen de los jóvenes. Es lindo quién aparenta juventud, quién realiza tratamientos para hacer desaparecer las huellas del tiempo. El modelo de belleza es un modelo juvenil, informal, casual. Nuestro modelo de adulto es adolescente.

Se vincula a los adolescentes como poseedores de nuevas formas de sentir, pensar y actuar. Pero al mismo tiempo se los ve desprovistos de formas críticas de interpretar el mundo en que viven y de esperanza en el futuro. A estos jóvenes el conocimiento escolarizado se les presenta como anticuado, carente de sentido. Desvalorizan lo que las escuelas presentan como necesario para vivir en esta sociedad.

Los docentes más experimentados, confiados en sus formas exitosas de enseñar, a veces encuentran oscuro y lejano el mundo del adolescente. Es decir, nos encontramos con un adolescente que desvaloriza el saber escolar y un docente que desconoce los interrogantes adolescentes. Esto es un desencuentro.

Son también los jóvenes quienes han sido invitados insistentemente a la búsqueda del placer, de la fuente de satisfacción de los deseos de manera instantánea y sin dolor; inmersos en la cultura de la imagen como su hábitat más natural. El conocimiento que presenta la escuela aparece como un saber poco apetecible y se lo considera no importante. No enfatiza la satisfacción sensorial, ni son herramientas que aseguren el ascenso social o simplemente el acceso a un empleo. [...]

Hay una imprescindible necesidad de coherencia. No sirven los intercambios de acusaciones. Como sociedad debemos arrojar claridad, para superar el desencuentro, para no malgastar energías construyendo por un lado lo que destruimos por otro. [...]

¿Qué enseñar? La misma variedad y multitud de lo cognoscible es inconmensurable; ¿cómo ordenarse en esta multiplicidad de qué enseñar, de qué aprender?. Partiendo sólo del material a saber, no hay punto de vista auténticamente ordenador. El objeto de conocimiento no indica necesariamente un objetivo y una perspectiva. El punto de vista ordenador debe encontrarse en el hombre y en el encuentro con los hombres, porque la educación debe servir a la formación, es decir a la conformación de la vida. Ese punto de vista, aún con toda la necesaria vinculación con la cosa misma, debe ser a la vez camino, camino de encuentro en el que quién enseña y quién aprende se comprendieran mejor a sí mismos. Se comprendieran mejor a sí mismos en relación a su tiempo, a su historia, a la sociedad, a la cultura y al mundo. [...]

Existen lo verdadero, lo bello, lo bueno. Existe lo absoluto. Se puede, más aún, se debe conocerlo y percibirlo.[3]

LA VERDAD, SIN CONSENSOS

La tentación propia de nuestra debilidad muchas veces nos lleva a gambetear la verdad, a matizarla, a menguarla, cuando no a negociarla o dejarla de lado.

Ser maestros es tomar corazones de chicos y chicas e inculcarles, con pasión de maestros, la pasión por esa verdad que no puede ser negociada, que no puede ser consensuada, nivelando hacia abajo los valores que hacen a nuestra existencia. Y no se nos escapa que esta civilización se ha convertido en un mercado de negociaciones de semiverdades que son mentiras. Llevar a un chico o a una chica por el camino de la semiverdad, por el camino del engaño es prostituir su corazón, es sembrar en vez de libertad, corrupción.[4]

MUEREN CHICOS

Tenemos hoy la oportunidad de caer en la cuenta de una de las más horribles consecuencias de la desorientación de los adultos: la muerte de chicos. Si no hay pasado, no se aprende, si no hay futuro, no se apuesta ni se prepara. Todos quedamos colgados de la nada, de esa mentirosa atemporalidad de las pantallas. Todo hoy, todo ahora, ¿qué otra cosa importa? Y el que no pudo pegar el manotazo hoy, perdió. Se perdió. No tiene lugar, no tiene tiempo. Deambulará por las calles y nadie lo verá, como los niños que a montones piden una moneda o golpean un teléfono público para exprimirle unos centavos hoy. Niños sin tiempo, niños a quienes no se les ha dado el tiempo que necesitaron. O como los adolescentes que no saben qué esperar y no tienen de dónde aprender, con padres ausentes o vacíos, con una sociedad que los excluye o los expulsa y los pone en el lugar de víctimas o de victimarios (decidiendo el bando, muchas veces, por el color de su piel) en vez de reconocerlos como sujetos plenos de futuro... siempre y cuando la comunidad les aporte lo que necesitan para ello.

Ese mismo inmediatismo que ha producido adolescentes que hoy, sólo hoy, creen que pueden satisfacerse con cualquiera de los productos que se les ofrecen, hoy, porque hay que vender hoy, no importa si mañana el chico vive o no, si crece o no, si aprende o no. Adolescentes que, en la exasperación del presente como único horizonte, son muchas veces víctimas/victimarios de la compulsión a tener hoy un peso para lo que sea y del modo que sea, aunque sea el peor, rifando su vida y la de los otros porque de cualquier manera, ¿qué importa el mañana? Hoy, sólo hoy, llegando a matar para hacerse de un dinero, del mismo modo que otros más grandes han dejado morir (o provocado la muerte) para hacerse de un dinero infinitamente mayor.[5]

Esta realidad nos habla de una degradación moral cada vez más extendida y profunda que nos lleva a preguntarnos cómo recuperar el respeto por la vida y por la dignidad de nuestros niños. A tantos de ellos les estamos robado su niñez y les estamos hipotecado su futuro y el nuestro: una responsabilidad que, como sociedad, compartimos y que pesa más sobre los de mayor poder, educación y riqueza.

Y si miramos la realidad religiosa, ¡cuántos niños no saben rezar!, ¡a cuántos no se les ha enseñado a buscar y contemplar el rostro del Padre del Cielo, que los quiere y los prefiere! Grave carencia en el ser mismo de una persona. [...]

Debemos tomar conciencia de que cada chico marginado, abandonado o en situación de calle, con deficiente acceso a los beneficios de la educación y la salud, es la expresión cabal no sólo de una injusticia sino de un fracaso institucional que incluye tanto a la familia como también a sus vecinos, a las instituciones barriales, a su parroquia y a los distintos estamentos del Estado en sus diversas expresiones. Muchas de estas situaciones reclaman una respuesta inmediata, pero no con la inmediatez de las luces de bengala. La búsqueda e implementación de respuestas no emparchadoras no pueden hacernos olvidar que necesitamos un cambio de corazón y de mentalidad que nos lleve a valorar y dignificar la vida de estos chicos desde el seno de su madre hasta que descansen en el seno del Padre Dios, y a obrar cada día en consecuencia.

Debemos adentrarnos en el Corazón de Dios y comenzar a escuchar la voz de los más débiles, estos niños y adolescentes, y recordar las palabras del Señor «El que recibe a uno de estos pequeños en mi Nombre, me recibe a mí mismo» (Mt. 18, 5); y, «Cuídense de despreciar a cualquiera de estos pequeños, porque les aseguro que sus ángeles en el cielo están constantemente en presencia de mi Padre celestial» (Mt. 18, 10). Tanto esas voces como la palabra del Señor deberían conmovernos en nuestro compromiso y en nuestra acción.[6]

Enseñar a los jóvenes a soñar

A los chicos les queremos pedir perdón porque no siempre los tomamos en serio. Porque no siempre ponemos los medios para que su horizonte no termine en la esquina, porque muchas veces no acertamos a entusiasmarlos con horizontes más grandes que le hagan valorar lo que recibieron y tienen que transmitir ¡porque muchas veces no supimos hacerlos soñar! Me gusta mucho una expresión de un autor americano que dice que Dios nos dio dos ojos, uno de carne y otro de vidrio. Con el ojo de carne vemos lo que miramos; con el ojo de vidrio vemos lo que soñamos. ¿Le enseñamos a nuestros chicos a ver la vida con estos dos ojos? ¿Nuestros chicos salen con la capacidad de soñar o salen apurados para poder llegar a la esquina y poder tener el papelito? Así que a los chicos les pedimos perdón por nuestra incapacidad de hacerlos soñar, de ponerles horizontes grandes.[7]

SIEMPRE HABRÁ POBRES
ENTRE VOSOTROS

ALMA DE POBRES

El Señor comienza hablando de la alegría que sólo experimentamos cuando tenemos alma de pobres. En nuestro pueblo más humilde encontramos mucho de esta bienaventuranza: la de los que conocen la riqueza de la solidaridad, la riqueza del compartir lo poco, pero compartirlo; la riqueza del sacrificio diario de un trabajo, a veces inestable y mal pago, pero hecho por amor a los suyos; la riqueza incluso de las propias miserias pero que, vividas con confianza en la Providencia y en la Misericordia de nuestro Padre Dios, alimentan en nuestro pueblo esa grandeza humilde de saber pedir y ofrecer perdón, renunciando al odio y la violencia. Sí, la riqueza de todo pobre y pequeño, cuya fragilidad y vulnerabilidad expuesta le hace conocer la ayuda, la confianza y la amistad sincera que relativiza las distancias. Para ellos, dice Jesús, es «el Reino de los Cielos»; sólo así, imitando esa misericordia de Dios, se obtiene un alma grande capaz de abarcar y comprender, es decir de *»obtener»*, como dice el Evangelio, misericordia. [...]

Dios nos libre de la «malaventuranza» de una permanente insatisfacción, del encubrimiento del vacío y la miseria interior con sustitutos de poder, de imagen, de dinero. La pobreza evangélica, en cambio, es creativa, comprende, sostiene y es esperanzada; desecha la «actuación» que sólo procura impresionar; no necesita propaganda para mostrar lo que hace, ni recurre al juego de fuerzas para imponerse. Su poder y autoridad nace de la convocatoria a una confianza, no de la manipulación, el amedrentamiento o la prepotencia.[1]

LA PEDAGOGÍA DEL PESEBRE

A pesar de revivirlo cada año necesitamos volver a sorprendernos por un Dios que elige «la periferia» de la ciudad de Belén y la «periferia existencial» de los pobres y marginados del pueblo de ese momento para manifestarse al mundo. Y junto con ellos, nos acercamos al pesebre y, allí, vemos a María, la mujer creyente y de trabajo que tuvo el coraje de confiar en Dios. Junto a ella está José, el hombre justo y bueno que prefirió creerle a Dios antes que a sus dudas. Así Dios se nos revela en el amor y abnegación de una sencilla pareja creyente, en lugar del aparente esplendor de los que confían en sus propias fuerzas.

Dejemos que nos invada la sorpresa al descubrir que Dios se nos manifiesta a nosotros como a aquel grupo de pobres pastores que vivían al desamparo de los hombres y no a los escrupulosos guardianes de las leyes y las costumbres.

Las ovejas, el burro, el buey, a esas sencillas criaturas también se manifestó Dios y no al mañoso Herodes que luego buscaba al niño para matarlo.

Sin embargo, la sorpresa más grande es que Dios se manifiesta en un niño pequeño, pobre y frágil. Así es Dios que se manifiesta en Jesús: Dios que escoge lo pequeño para confundir a los fuertes.

Sorpresa que también se hace noticia buena: Dios está al alcance de todos los que se dejan desinstalar por la pedagogía del pesebre y acogerla como camino transformador de vida.[2]

La dignidad de los frágiles

Si un hombre o un pueblo cuida y cultiva su dignidad, todo lo que le acontece, todo lo que hace y produce, incluso todo lo que padece y sufre, tiene sentido. En cambio cuando una persona o un pueblo vende su dignidad, o la negocia, o permite que sea menoscabada, todo lo demás pierde consistencia, deja de tener valor. La dignidad se dice de las cosas absolutas porque dignidad significa que alguien o algo es valioso por sí mismo, más allá de sus funciones o de su utilidad para otras cosas. De allí que hablemos de la dignidad de la persona, de cada persona, más allá de que su vida física sea apenas un frágil comienzo o esté a punto de apagarse como una velita. Por eso hablamos de la dignidad de la persona en todas las etapas y dimensiones de su vida. La persona, cuánto más frágiles y vulnerables sean sus condiciones de vida, es más digna de ser reconocida como valiosa. Y ha de ser ayudada, querida, defendida y promovida en su dignidad. Y esto no se negocia.[3]

MARÍA: A TRAVÉS DE SUS OJOS BUENOS

A TRAVÉS DE SUS OJOS BUENOS

Y recuerden siempre a Aquella que es Puerta del Cielo: a la de corazón abierto por la espada, que comprende todas las penas; a la esclavita del Padre que sabe abrirse enteramente a la alabanza; a la que sale de sí «con prontitud» para visitar y consolar; a la que sabe transformar cualquier covacha en casa del «Dios con nosotros» con unos pobres pañalitos y una montaña de ternura; a la que está siempre atenta para que no falte el vino en nuestras vidas; a la que sabe esperar afuera para dar lugar a que el Señor instruya a su pueblo; a la que siempre está al descampado en cualquier lugar donde los hombres levantan una cruz y le crucifican a sus hijos. Nuestra Señora es Madre, y —como madre— sabe abrir los corazones de sus hijos: todo pecado escondido se deja perdonar por Dios a través de sus ojos buenos; todo capricho y encerramiento se disuelve ante una palabra suya; todo temor para la misión se disipa si Ella nos acompaña por el camino.[1]

NECESITAMOS DE SU MIRADA TIERNA

Su mirada es como la continuación de la mirada del Padre que la miró pequeñita y la hizo Madre de Dios. Como la mirada del

Hijo en la cruz que la hizo Madre nuestra y con esa mirada hoy nos mira. Y hoy nosotros, después de un largo camino, vinimos a este lugar de descanso, porque la mirada de la Virgen es un lugar de descanso, y venimos a contarle nuestras cosas.

Nosotros necesitamos de su mirada tierna, su mirada de Madre, esa que nos destapa el alma. Su mirada que está llena de compasión y de cuidado. Y por eso hoy le decimos: *Madre, regálanos tu mirada*. Porque la mirada de la Virgen es un regalo, no se compra. Es un regalo de Ella. Es un regalo del Padre y un regalo de Jesús en la cruz. *Madre, regálanos tu mirada*.

Venimos a agradecer que su mirada esté en nuestras historias. En ésa que sabemos cada uno de nosotros, la historia escondida de nuestras vidas. Esa historia con problemas y con alegrías. Y luego de este largo camino, cansados, nos encontramos con su mirada que nos consuela y le decimos: *Madre, regálanos tu mirada*.[2]

MADRE DE MISERICORDIA

María es madre de misericordia, porque Jesús, su Hijo, es enviado por el Padre como revelación y comunicación de su Misericordia, y ella nos anima y nos guía a seguirlo.

María es madre de misericordia porque Jesús, en la Cruz, le confía su Iglesia y toda la humanidad.

María es madre de misericordia como signo luminoso y ejemplo preclaro de vida moral al vivir la propia libertad donándose al Padre y acogiendo el don del Padre.

María es madre de misericordia porque invita a todo ser humano, en la celebración de las bodas de su Hijo a lo largo de la historia, a acoger «la Verdad que nos hace Libres» *haciendo siempre lo que Él nos diga* (cfr. Jn 2, 5).[3]

Basta su cariño para redimirnos

Nuestro pueblo hunde sus raíces en un anhelo de fraternidad y deseo de familia. Hoy venimos a decirle a la Madre que queremos ser un solo pueblo; que no queremos pelearnos entre nosotros; que nos defienda de los que quieren dividirnos. Que queremos ser familia y que para eso no necesitamos de ninguna ideología revanchista que pretenda redimirnos. Nos basta su cariño de Madre, a Ella le pedimos, »Madre queremos ser un solo pueblo».[4]

Lo que el corazón esconde

El corazón de María estaba al pie de la cruz en el momento de la tragedia, en el momento en que se cumple la segunda parte de esta profecía del anciano del templo. La primera parte «y a ti misma una espada te atravesará el corazón» la estaba viviendo al pie de la cruz y fue entonces que se cumplió la segunda parte «así se manifestarán claramente los pensamientos íntimos de muchos».

En el momento de la tragedia sale lo que hay en el corazón de las personas y ahí estaban junto a la cruz unos poquititos, fieles a Jesús; otros escondidos por miedo, otros cuidándose las espaldas para no perder posiciones, otros tratando de ver cómo arreglar políticamente la traición de Judas, otros mirando al futuro sin Jesús y aflora así lo que cada uno tenía en el corazón. A ese pobre ladrón que estaba crucificado con él le sale lo mejor que tenía en el corazón y le dice: «Señor, acordate de mí». Jesús hace brotar lo que hay en el corazón de los hombres y eso una madre lo siente de manera especial.[5]

Protección individualizada

La acción milagrosa de María es el signo principal de protección individualizada sobre un lugar y desde un lugar. La súplica y petición de favores son una manifestación de la alianza materno-filial, de las relaciones interpersonales, del compromiso mutuo.[6]

MARÍA Y LA IGLESIA

Existe una misteriosa relación entre María, la Iglesia y cada alma fiel. María y la Iglesia ambas son madres, ambas conciben virginalmente del Espíritu Santo, ambas dan a luz para Dios Padre una descendencia sin pecado. Y también puede decirse de cada alma fiel. La Sabiduría de Dios lo que dice universalmente de la Iglesia lo dice de modo especial de la Virgen e individualmente de cada alma fiel (cfr. Isaac del Monasterio de Stella, Sermón 51, PL 194, 1865).

La mujer «que está» señala el camino a la Iglesia y a cada alma para que sean una Iglesia y unas almas «que estén» en espera, abiertas a la venida del Espíritu que defiende, enseña, recuerda, consuela. Ese Espíritu manifiesta la consolación tan esperada por Israel, que ansiaba el corazón de Simeón y de Ana (cfr. Lc. 1, 25) y los condujo hacia el encuentro con Jesús y a su ulterior reconocimiento (Lc. 1, 26) como la salvación, la luz y la gloria.[7]

DIOS NECESITABA MADRE Y NOS LA PIDIÓ

Porque Dios tenía una carencia para poder meterse humanamente en nuestra historia: necesitaba madre, y nos la pidió a nosotros. Esa es la Madre a quien miramos hoy, la hija de nuestro pueblo, la servidora, la pura, la sola de Dios; la discreta que hace el espacio para que el Hijo realice el signo, la que siempre está posibilitando esta realidad pero no como dueña ni incluso como protagonista, sino como servidora; la estrella que sabe apagarse para que el Sol se manifieste. Así es la mediación de María a la que nos referimos hoy. Mediación de mujer que no reniega de su maternidad, la asume desde el principio; maternidad con doble parto, uno en Belén y otro en el Calvario; maternidad que con-

tiene y acompaña a los amigos de su Hijo el cual es la única referencia hasta el fin de los días.

Y así María sigue entre nosotros, «situada en el centro mismo
de esa «enemistad» del protoevangelio, de aquella lucha que
acompaña la historia de la humanidad» (Cfr. *Redemptoris Mater*
11). Madre que posibilita espacios para que llegue la Gracia. Esa
Gracia que revoluciona y transforma nuestra existencia y nuestra
identidad: el Espíritu Santo que nos hace hijos adoptivos, nos libera de toda esclavitud y, en una posesión real y mística, nos entrega el don de la libertad y clama, desde dentro de nosotros, la
invocación de la nueva pertenencia: ¡Padre! [...]

A ella le pedimos que, como buena Madre que sabe componer
las cosas, haga espacios en nuestro corazón para que, en medio
de la abundancia de pecado, sobreabunde la gracia del Espíritu
que nos hace libres e hijos.[8]

NECESIDAD DE LA ORACIÓN

La cantidad y calidad de los problemas con que nos enfrentamos cada día nos llevan a la acción: aportar soluciones, idear caminos, construir... Esto nos colma gran parte del día. Somos trabajadores, operarios del Reino y llegamos a la noche cansados por la actividad desplegada. Creo que, con objetividad, podemos afirmar que no somos vagos.[...]

La sucesión de reclamos, la urgencia de los servicios que debemos prestar, nos desgastan y así vamos desovillando nuestra vida en el servicio al Señor en la Iglesia. Por otra parte también sentimos el peso, cuando no la angustia, de una civilización pagana que pregona sus principios y sus sedicentes «valores» con tal desfachatez y seguridad de sí misma que nos hace tambalear en nuestras convicciones, en la constancia apostólica y hasta en nuestra real y concreta fe en el Señor viviente y actuante en medio de la historia de los hombres, en medio de la Iglesia. Al final de día algunas veces solemos llegar maltrechos y, sin darnos cuenta, se nos filtra en el corazón un cierto pesimismo difuso que nos abroquela en «cuarteles de retirada» y nos unge con una psicología de derrotados que nos reduce a un repliegue defensivo. Allí se nos arruga el alma y asoma la pusilanimidad.

Y así, entre el intenso y desgastante trabajo apostólico por un lado y la cultura agresivamente pagana por otro, nuestro corazón se encoge en esa impotencia práctica que nos conduce a una actitud minimalista de sobrevivir en el intento de conservar la fe.

Sin embargo no somos tontos y nos damos cuenta de que algo falta en este planteo, que el horizonte se acercó demasiado hasta convertirse en cerco, que algo hace que nuestra agresividad apostólica en la proclamación del Reino quede acotada. ¿No será que pretendemos hacer nosotros solos todas las cosas y nos sentimos desenfocadamente responsables de las soluciones a aportar? Sabemos que solos no podemos. Aquí cabe la pregunta: ¿le damos espacio al Señor? ¿le dejo tiempo en mi jornada para que Él actúe?, ¿o estoy tan ocupado en hacer yo las cosas que no me acuerdo de dejarlo entrar?

Me imagino que el pobre Abraham se asustó mucho cuando Dios le dijo que iba a destruir a Sodoma. Pensó en sus parientes de allí por cierto, pero fue más allá: ¿no cabría la posibilidad de salvar a esa pobre gente? Y comienza el regateo. Pese al santo temor religioso que le producía estar en presencia de Dios, a Abraham se le impuso la responsabilidad. Se sintió responsable. No se queda tranquilo con un pedido, siente que debe interceder para salvar la situación, percibe que ha de luchar con Dios, entrar en una pulseada palmo a palmo. Ya no le interesan sólo sus parientes sino todo ese pueblo... y se juega en la intercesión. Se involucra en ese mano a mano con Dios. Podría haberse quedado tranquilo con su conciencia después del primer intento gozando de la promesa del hijo que se le acababa de hacer (Gen. 18:9) pero sigue y sigue. Quizás inconscientemente ya sienta a ese pueblo pecador como hijo suyo, no sé, pero decide jugarse por él. Su intercesión es corajuda aun a riesgo de irritar al Señor. Es el coraje de la verdadera intercesión.

Varias veces hablé de la parresía, del coraje y fervor en nuestra acción apostólica. La misma actitud ha de darse en la oración: orar con parresía. No quedarnos tranquilos con haber pedido una vez; la intercesión cristiana carga con toda nuestra insistencia hasta el límite. Así oraba David cuando pedía por el hijo moribundo (2 Sam. 12:15-18), así oró Moisés por el pueblo rebelde (Ex. 32:11-14; Num. 4:10-19; Deut. 9:18-20) dejando de lado su comodidad y provecho personal y la posibilidad de convertirse en líder de una gran nación (Ex.32:10): no cambió de «partido», no negoció a su pueblo sino que la peleó hasta el final. Nuestra conciencia de ser elegidos por el Señor para la consagración o el ministerio nos debe alejar de toda indiferencia, de cualquier comodidad o interés personal en la lucha en favor de ese pueblo del que nos sacaron y al que somos enviados a servir. Como Abraham hemos de regatearle a Dios su salvación con verdadero coraje... y esto cansa como se cansaban los brazos de Moisés cuando oraba en medio de la batalla (cfr. Ex.17:11-13). La intercesión no es para flojos. No rezamos para «cumplir» y quedar bien con nuestra conciencia o para gozar de una armonía interior meramente estética. Cuando oramos estamos luchando por nuestro pueblo. ¿Así oro yo? ¿O me canso, me aburro y procuro no meterme en ese lío y que mis cosas anden tranquilas? ¿Soy como Abraham en el coraje de la intercesión o termino en aquella mezquindad de Jonás lamentándome de una gotera en el techo y no de esos hombres y mujeres «que no saben distinguir el bien del mal» (Jon.4:11), víctimas de una cultura pagana?

En el Evangelio Jesús es claro: «pidan y se les dará», busquen y encontrarán, llamen y se les abrirá» y, para que entendamos bien, nos pone el ejemplo de ese hombre pegado al timbre del vecino a medianoche para que le dé tres panes, sin importarle pasar por maleducado: sólo le interesaba conseguir la comida para su huésped. Y si de inoportunidad se trata miremos a aquella cananea (Mt.15:21-28) que se arriesga a que la saquen corriendo los discípulos (v.23) y a que le digan «perra» (v.27) con tal de lograr lo que quiere: la curación de su hija. Esa mujer sí que sabía pelear corajudamente en la oración.

A esta constancia e insistencia en la oración el Señor promete la certeza del éxito: «Porque el que pide, recibe; el que busca, encuentra; y al que llama, se le abrirá»; y nos explica el por qué del éxito: Dios es Padre. «¿Hay entre Ustedes algún padre que da a su hijo una serpiente cuando le pide un pescado? ¿Y si le pide un huevo, le dará un escorpión? Si Ustedes, que son malos, saben dar cosas buenas a sus hijos ¿cuánto más el Padre del Cielo dará al Espíritu Santo a aquéllos que se lo pidan!» La promesa del Señor a la confianza y constancia en nuestra oración va mucho más allá de lo que imaginamos: además de lo que pedimos nos dará al Espíritu Santo. Cuando Jesús nos exhorta a orar con insistencia nos lanza al seno mismo de la Trinidad y, a través de su santa humanidad, nos conduce al Padre y promete el Espíritu Santo.

Vuelvo a la imagen de Abraham y a la ciudad que quería salvar. Todos somos conscientes de la dimensión pagana de la cultura que vivimos, una cosmovisión que debilita nuestras certezas y nuestra fe. Diariamente somos testigos del intento de los poderes de este mundo para desterrar al Dios Vivo y suplirlo con los ídolos de moda. Vemos cómo la abundancia de vida que nos ofrece el Padre en la creación y Jesucristo en la redención (cfr. 2ª. lectura) es suplida por la justamente llamada «cultura de la muerte». Constatamos también como se deforma y manipula la imagen de la Iglesia por la desinformación, la difamación y la calumnia y cómo a los pecados y falencias de sus hijos se los ventila con preferencia en los medios de comunicación como prueba de que Ella nada bueno tiene que ofrecer. Para los medios de comunicación la santidad no es noticia, sí —en cambio— el escándalo y el pecado. ¿Quién puede pelear de igual a igual con esto? ¿Alguno de nosotros puede ilusionarse que con medios meramente humanos, con la armadura de Saúl, podrá hacer algo? (cfr.1 Sam.17:38-39).

Cuidado: nuestra lucha no es contra poderes humanos sino contra el poder de las tinieblas (cfr. Ef. 6:12). Como pasó con Jesús (cfr. Mt. 4:1-11) Satanás buscará seducirnos, desorientarnos, ofrecer «alternativas viables» No podemos darnos el lujo de ser confiados o suficientes. Es verdad, debemos dialogar con todas las personas, pero con la tentación no se dialoga. Allí sólo nos queda refugiarnos en la fuerza de la Palabra de Dios como el Señor en el desierto y recurrir a la mendicidad de la oración: la oración del niño, del pobre y del sencillo; de quien sabiéndose hijo pide auxilio al Padre; la oración del humilde, del pobre sin recursos. Los humildes no tienen nada que perder; más aún, a ellos se le revela el camino (Mt. 11:25-26). Nos hará bien decirnos que no es tiempo de censo, de triunfo y de cosecha, que en nuestra cultura el enemigo sembró cizaña junto al trigo del Señor y que ambos crecen juntos. Es hora no de acostumbrarnos a esto sino de agacharse y recoger las cinco piedras para la honda de David (cfr.1 Sam.17:40). Es hora de oración.

A alguno se le podrá ocurrir que este obispo se volvió apocalíptico o le agarró un ataque de maniqueísmo. Lo del Apocalipsis lo aceptaría porque es el libro de la vida cotidiana de la Iglesia y en cada actitud nuestra se va plasmando la escatología. Lo de maniqueo no lo veo porque estoy convencido de que no es tarea nuestra andar separando el trigo de la cizaña (eso lo harán los ángeles el día de la cosecha) sí discernirlos para que no nos confundamos y poder así defender el trigo. Pienso en María ¿cómo viviría las contradicciones cotidianas y como oraría sobre ellas? ¿Qué pasaba por su corazón cuando regresaba de Ain Karim y ya eran evidentes los signos de su maternidad? ¿Qué le iba a decir a José? O ¿cómo hablaría con Dios en el viaje de Nazareth a Belén o en la huída a Egipto, o cuando Simeón y Ana espontáneamente armaron esa liturgia de alabanza, o aquel día en que su hijo se quedó en el Templo, o al pie de la Cruz? Ante estas contradicciones y tantas otras ella oraba y su corazón se fatigaba en la presencia del Padre pidiendo poder leer y entender los signos de los tiempos y poder cuidar el trigo. Hablando de esta actitud Juan Pablo II dice que a María le sobrevenía cierta «peculiar fatiga del corazón» (Redempt. Mater n.17). Esta fatiga de la oración nada tiene que ver con el cansancio y aburrimiento al que me referí más arriba.

Así también podemos decir que la oración, si bien nos da paz y confianza, también nos fatiga el corazón. Se trata de la fatiga de quien no se engaña a sí mismo, de quien maduramente se hace cargo de su responsabilidad pastoral, de quien se sabe minoría en «esta generación perversa y adúltera», de quien acepta luchar día a día con Dios para que salve a su pueblo. Cabe aquí la pregunta: ¿tengo yo el corazón fatigado en el coraje de la intercesión y —a la vez— siento en medio de tanta lucha la serena paz de alma de quien se mueve en la familiaridad con Dios? Fatiga y paz van juntas en el corazón que ora. ¿Pude experimentar lo que significa tomar en serio y hacerme cargo de tantas situaciones del quehacer pastoral y —mientras hago todo lo humanamente posible para ayudar— intercedo por ellas en la oración? ¿He podido saborear la sencilla experiencia de poder arrojar las preocupaciones en el Señor (cfr. Salmo 54:23) en la oración? Qué bueno sería si lográramos entender y seguir el consejo de San Pablo: «No se angustien por nada, y en cualquier circunstancia recurran a la oración y a la súplica, acompañadas de acción de gracias, para presentar sus peticiones a Dios. Entonces la paz de Dios, que supera todo lo que podemos pensar, tomará bajo su cuidado los corazones y los pensamientos de ustedes en Cristo Jesús» (Filip. 4:6-7).

Estas son más o menos las cosas que sentí al meditar las tres lecturas de este domingo y también siento que debo compartirlas con Ustedes, con quienes trabajo en el cuidado del pueblo fiel de Dios. Pido al Señor que nos haga más orantes como lo era Él cuando vivía entre nosotros; que nos haga insistentemente pedigüeños ante el Padre. Pido al Espíritu Santo que nos introduzca en el Misterio del Dios Vivo y que ore en nuestros corazones. Tenemos ya el triunfo, como nos lo proclama la segunda lectura. Bien parados allí, afirmados en esta victoria, les pido que sigamos adelante (cfr. Hebr. 10:39) en nuestro trabajo apostólico adentrándonos más y más en esa familiaridad con Dios que vivimos en la oración. Les pido que hagamos crecer la parresía tanto en la acción como en la oración. Hombres y mujeres adultos en Cristo y niños en nuestro abandono. Hombres y mujeres trabajadores hasta el límite y, a la vez, con el corazón fatigado en la oración. Así nos quiere Jesús que nos llamó. Que Él nos conceda la gracia de comprender que nuestro trabajo apostólico, nuestras dificultades, nuestras luchas no son cosas meramente humanas que comienzan y terminan en nosotros. No se trata de una pelea nuestra sino que es «guerra de Dios» (2 Cron. 20:15); y esto nos mueva a dar diariamente más tiempo a la oración.[1]

UNA ORACIÓN EN CADA DEDO

1. El pulgar es el más cercano a ti. Así que empieza orando por quienes están más cerca de ti. Son las personas más fáciles de recordar. Orar por nuestros seres queridos es «una dulce obligación»

2. El siguiente dedo es el índice. Ora por quienes enseñan, instruyen y sanan. Esto incluye a los maestros, profesores, médicos y sacerdotes. Ellos necesitan apoyo y sabiduría para indicar la dirección correcta a los demás. Tenlos siempre presentes en tus oraciones.

3. El siguiente dedo es el más alto. Nos recuerda a nuestros líderes. Ora por el presidente, los congresistas, los empresarios, y los gerentes. Estas personas dirigen los destinos de nuestra patria y guían a la opinión pública. Necesitan la guía de Dios.

4. El cuarto dedo es nuestro dedo anular. Aunque a muchos les sorprenda, es nuestro dedo más débil, como te lo puede decir cualquier profesor de piano. Debe recordarnos orar por los más débiles, con muchos problemas o postrados por las enfermedades. Necesitan tus oraciones de día y de noche. Nunca será demasiado lo que ores por ellos. También debe invitarnos a orar por los matrimonios.

5. Y por último está nuestro dedo meñique, el más pequeño de todos los dedos, que es como debemos vernos ante Dios y los demás. Como dice la Biblia «los últimos serán los primeros». Tu meñique debe recordarte orar por ti. Cuando ya hayas orado por los otros cuatro grupos, verás tus propias necesidades en la perspectiva correcta y así podrás orar mejor por las tuyas.

REFERENCIAS

¡PADRE MISERICORDIOSO, HAS SALIDO A BUSCARME!

[1]   Homilía en San Cayetano, 7 de agosto de 1999.
[2]   Vigilia Pascual, 22 de abril de 2000.
[3]   Corpus Christi, 16 de junio de 2001.
[4]   Homilía en San Cayetano, 7 de agosto de 2003.
[5]   Misa de Nochebuena, 25 de diciembre de 2003.
[6]   Vigilia Pascual, 10 de abril de 2004.
[7]   *Sobre el cielo y la tierra*. La conversación del Papa Francisco con su amigo el rabino Abraham Skorka. Debate.
[8]   Corpus Christi, 12 de junio de 2004.
[9]   Misa de Nochebuena, 24 de diciembre de 2004.
[10] Vigilia Pascual, 7 de abril de 2007.
[11] Homilía en la misa de apertura de la 94ª Asamblea Plenaria, 5 de noviembre de 2007.
[12] Homilía en la misa con los miembros de la Renovación Carismática. 2 de junio de 2007.
[13] Homilía en el atrio de la Basílica de San José de Flores, misa de Ramos, 27 de marzo de 2010.
[14] Vigilia Pascual, 3 de abril de 2010.
[15] Corpus Christi, 5 de junio de 2010.
[16] Misa de Nochebuena, 24 de diciembre de 2010.
[17] Miércoles de Ceniza, 9 de marzo de 2011.
[18] Misa de Nochebuena, 24 de diciembre de 2011.

NINGUNA JORNADA SIN EUCARISTÍA

[1]   Corpus Christi, 5 de junio de 1999.

[2] Corpus Christi, 24 de junio de 2000.

[3] *Dejarse encontrar para ayudar al encuentro,* carta a los catequistas, agosto de 2001.

[4] Corpus Christi, 1 de junio de 2002.

[5] Corpus Christi, 21 de junio de 2003.

[6] Homilía de San Cayetano, 7 de agosto de 2004.

[7] Corpus Christi, 28 de mayo de 2005.

[8] Corpus Christi, 17 de junio de 2006.

VIRTUDES Y TROPIEZOS DEL CRISTIANO

[1] Mensaje a las comunidades educativas, 28 de marzo de 2001.

[2] Mensaje a las comunidades educativas, 28 de marzo de 2001.

[3] Vigilia Pascual, 15 de abril de 2001.

[4] Homilía en San Cayetano, 7 de agosto de 2001.

[5] Homilía en la misa por la Educación, 10 de abril de 2002.

[6] Carta a los catequistas, agosto de 2002.

[7] Corpus Christi, 21 de junio de 2003.

[8] Mensaje a las comunidades educativas, 21 de abril de 2004.

[9] Homilía en la misa por la Educación, 21 de abril de 2004.

[10] Congreso sobre la encíclica *Veritatis Splendor,* disertación de clausura, 25 de septiembre de 2004.

[11] Homilía en la misa en memoria de Juan Pablo II, 4 de abril de 2005.

[12] Homilía en la misa por la Educación, 6 de abril de 2005.

[13] Nochebuena, 24 de diciembre de 2005.

[14] Encuentro archidiocesano de catequesis, 11 de marzo de 2006.

[15] Misa crismal, 13 de abril de 2006.

[16] Te Deum, 25 de mayo de 2006.

[17] Homilía en el trigésimo aniversario del fallecimiento de monseñor Enrique Angelelli, catedral de La Rioja, 4 de agosto de 2006.

[18] Cultura y religiosidad popular, 19 de enero de 2008.

[19] Homilía en la misa con los miembros de la Renovación Carismática. 2 de junio de 2007.

[20] Homilía al comenzar la Asamblea del Episcopado, 23 de abril de 2007.

[21] Mensaje en la misa por la Educación, Pascua de 2008.

[22] Corpus Christi, 24 de mayo de 2008.

[23] Peregrinación a Luján, 5 de octubre de 2008.

[24] Homilía en la misa de apertura de la 102ª Asamblea de la Conferencia Episcopal Argentina, 9 de mayo de 2011.

[25] Te Deum, 25 de mayo de 2011.
[26] Miércoles de Ceniza, 13 de febrero de 2013.

DEL BUEN SAMARITANO AL HIJO PRÓDIGO

[1] Homilía en San Cayetano, 7 de agosto de 1999.
[2] Homilía en San Cayetano, 7 de agosto de 2000.
[3] Mensaje a los catequistas, 21 de agosto de 2003.
[4] Mensaje a las comunidades educativas en la Pascua del Señor de 2006.
[5] Homilía en San Cayetano, 7 de agosto de 2006.
[6] Homilía en el Día del Migrante, Santuario de Nuestra Señora. Madre de los Emigrantes, 7 de septiembre de 2008.
[7] Homilía del Día del Migrante, Santuario de Nuestra Señora Madre de los Emigrantes, 7 de septiembre de 2008.
[8] Homilía en San Cayetano, 7 de agosto de 2009.
[9] Homilía en la Estación Constitución con motivo de la misa por las víctimas de la trata de personas, 12 de julio de 2010.
[10] Homilía en la misa de clausura del Congreso Nacional de Doctrina Social de la Iglesia, Rosario, 8 de mayo de 2011.
[11] Corpus Christi, 25 de junio de 2011.
[12] Primer congreso regional de Pastoral Urbana, 25 de agosto de 2011.
[13] Encuentro archidiocesano de catequistas, 10 de marzo de 2012.

SEPULCROS BLANQUEADOS

[1] Mensaje a las comunidades educativas, 29 de marzo de 2000.
[2] Encuentro Archidiocesano de Catequesis, 12 de marzo de 2005.
[3] Homilía en el I Congreso de Evangelización de la Cultura, 3 de noviembre de 2006.
[4] Miércoles de Ceniza, 25 de febrero de 2009.
[5] Gesto cuaresmal solidario, 17 de febrero de 2010.
[6] Entrevista concedida a la agencia argentina AICA, noviembre de 2011.
[7] Misa de clausura del encuentro de Pastoral Urbana, 2 de septiembre de 2012.

UNA CULTURA DEL VÍNCULO

[1] Te Deum, 25 de mayo de 1999.

2   Te Deum, 25 de mayo de 2000.
3   Mensaje a las comunidades educativas, 28 de marzo de 2001.
4   Misa en la Vicaría de la Educación, 28 de marzo de 2001.
5   Te Deum del 25 de mayo de 2001.
6   Carta a los catequistas, agosto de 2001.
7   Mensaje a las comunidades educativas, marzo de 2002.
8   Mensaje a las comunidades educativas, marzo de 2002.
9   Te Deum, 25 de mayo de 2002.
10 *Comunicador, ¿quién es tu prójimo?*, en el III Congreso de Comunicadores, 10 de octubre de 2002.
11 *Comunicador, ¿quién es tu prójimo?*, en el III Congreso de Comunicadores, 10 de octubre de 2002.
12 Mensaje a las comunidades educativas, 9 de abril de 2003.
13 Te Deum, 25 de mayo de 2003.
14 Misa por la Educación, 6 de abril de 2005.
15 Peregrinación a Luján, 1 de octubre de 2005 (*Carta por la Niñez*).
16 Peregrinación a Luján, 1 de octubre de 2005 (*Carta por la Niñez*).
17 Palabras en el Curso de Rectores, 9 de febrero de 2006.
18 Misa por la Educación, 27 de abril de 2006.
19 Mensaje a las comunidades educativas, Pascua de 2006.
20 Mensaje a las comunidades educativas, Pascua de 2006.
21 Corpus Christi, 9 de junio de 2007.
22 *Cultura y religiosidad popular*, 19 de enero de 2008.
23 Te Deum, 25 de mayo de 2012.

LOS MERCADERES DE LAS TINIEBLAS

1   Encuentro de políticos y legisladores de América Latina (03/08/1999) centrado en el tema *Familia y Vida a los 50 años de la Declaración Universal de los Derechos Humanos*, 3 de agosto de 1999.
2   Disertación en la sede de la Asociación Cristiana de Empresarios, 1 de septiembre de 1999.
3   Mensaje a las comunidades educativas, 29 de marzo de 2000.
4   Mensaje a las comunidades educativas, 29 de marzo de 2000.
5   Mensaje a las comunidades educativas, 28 de marzo de 2001.
6   Sergio Rubin y Francisca Ambrogetti. *El Jesuita. Conversaciones con Jorge Bergoglio.* Ediciones B.
7   Mensaje a las Comunidades Educativas, 9 de abril de 2003.
8   Misa por la Educación, 10 de abril de 2012.

[9] Mensaje a las comunidades educativas, 9 de abril de 2003.
[10] Mensaje a las comunidades educativas, 9 de abril de 2003.
[11] Homilía en la celebración del Día del Niño por Nacer, 25 de marzo de 2004.
[12] Te Deum, 25 de mayo de 2004.
[13] Te Deum, 25 de mayo de 2004.
[14] *Sobre el cielo y la tierra*. La conversación del Papa Francisco con su amigo el rabino Abraham Skorka. Debate.
[15] Carta a los catequistas, agosto de 2004.
[16] Homilía en la misa por la Educación, 6 de abril de 2005.
[17] Palabras en el Curso de Rectores, 9 de febrero de 2006.
[18] Mensaje a las comunidades educativas, 8 de abril de 2007.
[19] Vigilia Pascual, 22 de marzo de 2008.
[20] Homilía en la misa de apertura de la Asamblea Episcopal, 7 de abril de 2008.
[21] Homilía en la misa por la Educación, 22 de abril de 2009.
[22] Homilía en Plaza Constitución, 4 de septiembre de 2009.
[23] Homilía en San Cayetano, 7 de agosto de 2010.
[24] Te Deum, 25 de mayo de 2012.
[25] Te Deum, 25 de mayo de 2012.

SALVAR LA FAMILIA

[1] Homilía en la misa de apertura de la 94ª Asamblea Plenaria, 5 de noviembre de 2007.
[2] Carta a las religiosas carmelitas de Buenos Aires, 8 de julio de 2010.
[3] Carta al doctor Justo Carbajales, director del Departamento de Laicos de la Conferencia Episcopal Argentina, 5 de julio de 2010.
[4] Sergio Rubin y Francisca Ambrogetti. *El Jesuita. Conversaciones con Jorge Bergoglio*. Ediciones B.
[5] Sergio Rubin y Francisca Ambrogetti. *El Jesuita. Conversaciones con Jorge Bergoglio*. Ediciones B.

EL PODER: O SERVICIO, O RIDÍCULO

[1] Petición por las nuevas autoridades nacionales, catedral metropolitana, 11 de diciembre de 1999.
[2] Te Deum del 25 de mayo de 2002.
[3] Festividad de San Cayetano, 7 de agosto de 2005.
[4] Mensaje a las Comunidades Educativas al inicio del año escolar, 9 de abril de 2003.

[12] Congreso sobre la encíclica *Veritatis Splendor*, disertación de clausura, 25 de septiembre de 2004.

[13] Encuentro Archidiocesano de Catequesis, 12 de marzo de 2005.

[14] Vigilia Pascual, 26 de marzo de 2005.

[15] Carta a los catequistas, agosto de 2006.

[16] Mensaje de Cuaresma, Miércoles de Ceniza, 21 de febrero de 2007.

[17] Carta a los catequistas, 21 de agosto de 2007.

[18] *Cultura y religiosidad popular*, 19 de enero de 2008.

[19] Vigilia Pascual, 22 de marzo de 2008

[20] Carta a los catequistas, 21 de agosto de 2010.

[21] Vigilia Pascual, 7 de abril de 2012.

EDUCAR EN LA MADUREZ

[1] Pascua de 2008.

[2] Pascua de 2008.

[3] Disertación en la Asociación Cristiana de empresarios, sobre la educación, 1 de septiembre de 1999.

[4] Homilía en la misa por la Educación. 9 de abril de 2003.

[5] Homilía en la misa por la Educación, 6 de abril de 2005.

[6] Peregrinación juvenil a Luján, 1 de octubre de 2005.

[7] Homilía en la misa por la Educación, 14 de abril de 2010.

SIEMPRE HABRÁ POBRES ENTRE VOSOTROS

[1] Te Deum del 25 de mayo de 2006.

[2] Homilía de Nochebuena, 24 de diciembre de 2006.

[3] Homilía en San Cayetano, 7 de agosto de 2007.

MARÍA: A TRAVÉS DE SUS OJOS BUENOS

[1] Carta a los sacerdotes de la archidiócesis, 1 de octubre de 1999.

[2] Peregrinación a Luján, 3 de octubre de 1999.

[3] Congreso sobre la encíclica *Veritatis Splendor*, 25 de septiembre de 2004.

[4] Peregrinación a Luján, 2 de octubre de 2004.

[5] Misa por el primer aniversario de la tragedia de la discoteca Cromagnon, 30 de diciembre de 2005.

[6]   *Cultura y religiosidad popular*, 19 de enero de 2008.

[7]   Homilía en la misa de apertura de la 102ª Asamblea de la Conferencia Episcopal Argentina, 9 de mayo de 2011.

[8]   Homilía en la misa de apertura de la 103ª Asamblea de la Conferencia Episcopal Argentina, 7 de noviembre de 2011.

NECESIDAD DE LA ORACIÓN

[1]   Carta a los sacerdotes, consagrados y consagradas de la archidiócesis, 29 de julio de 2007.